MAIGRIR SANS OBSESSION

Couverture
- Maquette:
  KATHERINE SAPON

Maquette intérieure
- Conception graphique:
  JEAN-GUY FOURNIER

Équipe de révision
Jean Bernier, Danielle Champagne, Michelle Corbeil, René Dionne, Louis Forest, Monique Herbeuval, Hervé Juste, Jean-Pierre Leroux, Odette Lord, Linda Nantel, Paule Noyart, Normand Paiement, Jacqueline Vandycke

DISTRIBUTEURS EXCLUSIFS:
- Pour le Canada:
  AGENCE DE DISTRIBUTION POPULAIRE INC.*
  955, rue Amherst, Montréal H2L 3K4 (tél.: 514-523-1182)
  * Filiale de Sogides Ltée
- Pour la France et l'Afrique:
  INTER-FORUM
  13, rue de la Glacière, 75013 Paris (tél.: 570-1180)
- Pour la Belgique et autres pays:
  S.A. VANDER
  Avenue des Volontaires, 321, 1150 Bruxelles (tél.: (32-2) 762.98.04)

SUSIE ORBACH

traduit de l'américain
par
Sylvie Dupont

Ce livre a été publiée en américain sous le titre:
Fat is a Feminist Issue
chez Berkley Books, New York
(ISBN original: 0-425-05544-2)

Bibliothèque nationale du Québec
Dépôt légal — 4e trimestre 1984

ISBN 2-89044-168-7

À Eleanor Anguti,
Carol Bloom
et
Lela Zaphiropoulos

Maigrir sans obsession

Ce livre étonnant et d'une grande sensibilité a été écrit par une psychothérapeute: il vous explique comment sortir du cercle vicieux des régimes et des crises de boulimie, comment perdre du poids en jouissant de la nourriture et de la vie tout en retrouvant confiance en vous! Vous y trouverez beaucoup d'histoires de cas véridiques ainsi que des chapitres traitant spécifiquement de l'anorexie et des points de vue médicaux sur l'obésité.

Remerciements

Je dois des remerciements à beaucoup, beaucoup de personnes. D'abord à Carol Munter, au premier groupe de mangeuses compulsives, et à toutes les femmes avec qui j'ai travaillé et qui m'ont fait part des sentiments qu'elles éprouvaient vis-à-vis de leur corps. Sans ces femmes, il n'y aurait rien à dire et ce livre n'existerait pas. Merci également à toutes les personnes qui m'ont si généreusement aidée, appuyée et encouragée d'une façon ou d'une autre au cours des six dernières années, entre autres, Dale Bernstein, Patrick Byrne, Warren Cohen, Anne Cooke, Clare Dennis, Luise Eichenbaum, Peggy Eliot, Ian Franklin, Barbara Goldberg, Clara Caleo Green, Rose Heatley, Altheia Jones Lecointe, Eddie Lebar, Bob Lefferts, David McLanahan, Laurence Orbach, Ruth Orbach, Rosie Parker, Jeremy Pikser, Cathy Porter, Ron Radosh, Olly Rosengart, Julie Saj, Steve Sandler, David Skinner, Dee Dee Skinner, Laura Schwartz, Michael Schwartz, Ann Snitow, Jimmy Traub, Redesign, *Spare Rib* et le Women's Therapy Centre.

Finalement, quatre personnes m'ont apporté un appui considérable. Sara Baerwald m'a évité de dire trop de bêtises. Malinda Coleman a laissé tomber tout ce qu'elle faisait pour m'apporter une aide miraculeuse à un moment critique. Gillian Slovo s'est très bien occupée de moi dans les dernières étapes du travail. Joseph Schwartz m'a été d'un secours inimaginable avec son amour, son aide, sa patience, ses critiques, ses coups de pouce et sa soupe au poulet. Tout mon amour et toute ma gratitude ne suffisent pas à dire combien tout cela a été important pour moi.

Toutes les histoires de cas présentées dans ce livre sont véridiques. Seuls les noms et les lieux ont été modifiés pour protéger la vie privée de ces femmes et de leurs proches.

Préface

En mars 1970, je suis allée à l'Alternate U, au coin de la 6e Avenue et de la 14e Rue à New York, pour m'inscrire à un cours réservé aux femmes sur l'alimentation compulsive et l'image de soi. Je suis entrée dans une salle bondée où une quarantaine de femmes de toutes les tailles discutaient de leur corps et de leurs habitudes alimentaires. Visiblement ravie qu'il y ait foule, Carol Munter, l'organisatrice du cours, nous a proposé de nous diviser en quatre groupes. Pour la première fois depuis le début du mouvement de libération des femmes, des femmes osaient se réunir pour discuter précisément de l'image qu'elles avaient de leurs corps. Le phénomène me semblait presque caricatural: des féministes qui se préoccupaient de leur apparence! Il faut dire qu'à l'époque, nous rejetions les idéaux mâles tels que nous pouvions les voir projetés par les films et la publicité; ostensiblement, nous affichions notre bonheur de nous promener en *blue jeans* et en chemise de travail. Entre amies, nous ne parlions jamais de régimes ni de vêtements et nous en éprouvions un immense soulagement: quels que soient la forme de notre corps et le style de nos vêtements, nous n'avions plus à nous inquiéter de ne pas être particulièrement à la mode, provocantes ou "sexy". Nous pouvions enfin nous détendre. Nous portions les vêtements de la rébellion et nous nous fichions de ce que les gens pensaient de nous. Mais nous en fichions-nous vraiment?

Avant de nous partager en groupe, Carol Munter nous mentionna deux choses: d'abord, qu'elle connaissait une femme qui avait beaucoup maigri sans aucun régime et, deuxièmement, qu'elle avait fabriqué dans la petite pièce d'à côté un miroir à quatre faces en recouvrant les murs de papier d'aluminium; les femmes intéressées pourraient y passer autant de temps qu'elles le voudraient à s'examiner sous tous les angles. Carol croyait que ces deux éléments — l'abandon de tout régime et l'acceptation de soi — pouvaient être des facteurs-clés dans la perte de poids. J'écoutais à peine ce qu'elle disait et je me demandais: "Qu'est-ce que je fais ici? Je me regarde souvent dans le miroir et cela ne me fait pas peur. Je suis plus mince que plusieurs de ces femmes... Les autres m'accepteront-elles?"

Nous nous sommes ensuite fixé un rendez-vous pour la semaine suivante et nous nous sommes dispersées. J'étais décontenancée: je m'attendais à ce que nous discutions des critères nutritifs des pays industrialisés par rapport à ceux du Tiers-Monde, ou de l'industrie de l'alimentation et de la mode, ou peut-être de l'incidence de l'obésité dans les pays riches; bref, j'avais beaucoup de réticences à aborder la question de l'alimentation compulsive sans me référer à un contexte explicitement politique où les liens entre le patriarcat, la société occidentale et la famille seraient au centre de toute explication. J'étais mal à l'aise mais je me raccrochais au slogan *le privé est politique.*

En fait, j'avais envie de laisser tomber mais quelque chose m'en empêchait: au-delà de ma gêne et de mon besoin de me comparer aux autres, j'avais ressenti un incomparable soulagement à me retrouver dans un groupe de femmes qui, grosses ou minces, étaient toutes des mangeuses compulsives. Mon problème avait maintenant un nom et peut-être n'avais-je plus à en avoir tellement honte. Depuis un an, je m'étais peu à peu habituée à parler de sujets très intimes dans des groupes de conscientisation féministes* et j'étais soudainement séduite par la proposition de Carol d'aborder de la même façon un sujet aussi personnel et étouffé.

Six mois plus tard, je quittais le groupe. Je ne me définissais plus comme une mangeuse compulsive et j'avais atteint un poids que je trouvais acceptable, même si finalement il restait bien supérieur à celui dont j'avais rêvé pour ressembler à un mannequin filiforme. Je n'étais plus terrifiée par la nourriture et je me sentais bien dans ma peau. Ce que j'ai appris pendant cette période me stupéfie encore surtout quand je pense à ces dix années douloureuses de régimes, de crises de boulimie et de mépris pour mon corps. Que s'est-il passé dans ce groupe pour provoquer une telle transformation? Bien des choses!

Nous avons adopté la formule des groupes de femmes: l'une après l'autre, nous avons exprimé nos sentiments sur le corps, la beauté, la nourriture, l'alimentation, la minceur, l'obésité et les vêtements. Nous nous

---

* L'auteur fait ici référence aux *Consciousness Raising Groups* qui ont constitué une facette importante du mouvement féministe américain des années 60-70. (*N.d.T.*)

sommes raconté en détail toutes sortes d'histoires épouvantables sur nos régimes, nos consultations auprès de médecins et de psychiatres, nos expériences avec des associations spécialisées, nos séjours dans des cliniques d'aimaigrissement et nos innombrables jeûnes. Nous avons constaté que, jusque-là, toutes nos tentatives pour garder une ligne et un poids satisfaisants étaient restées infructueuses. Nous nous sommes demandé *pourquoi* nous tenions tant à maigrir, pourquoi cela était tellement important pour nous, pourquoi nous avions toutes réussi à perdre du poids des douzaines de fois sans jamais parvenir à rester minces; pourquoi chaque fois que nous avions touché au but, nous avions abandonné; pourquoi nous trichions toujours lorsque nous étions au régime. Pourquoi nous empoisonnions-nous inutilement l'existence avec tous ces problèmes de poids et de ligne?

Nous avons commencé par nous poser de nouvelles questions et nous avons trouvé de nouvelles réponses. Notre groupe d'entraide* s'est formé au moment où le mouvement de libération des femmes débordait d'énergie et nous poussait à réexaminer de nombreuses idées reçues. La créativité du mouvement avait préparé un sol fertile où les idées féministes, portées et alimentées par d'innombrables groupes de conscientisation féministes et concrétisées dans toutes sortes d'actions, de manifestations et de campagnes politiques, trouvaient sans cesse de nouvelles applications dans des champs jusqu'ici insoupçonnés dont la question de l'alimentation compulsive.

---

* L'auteur fait ici référence à un modèle d'action collective féministe qui a été mis sur pied au début des années 70, aux États-Unis: les *Women's Self-Help*. (*N.d.T.*)

L'alimentation compulsive est une activité extrêmement douloureuse et, du moins en apparence, autodestructrice. Mais le féminisme nous a appris à nous méfier de ce qualificatif en nous amenant à comprendre que les activités coinsidérées comme autodestructrices sont inévitablement des mécanismes d'adaptation et des tentatives d'ajustement à l'environnement. En groupe, nous avons complètement révisé nos idées reçues sur les régimes amaigrissants et la minceur. Carol nous a reparlé de son amie qui avait maigri sans régime. Peu à peu, craintivement, nous avons renoncé à nos régimes et le ciel ne nous est pas tombé sur la tête. Mon univers ne s'est pas écroulé. Puis, Carol a soulevé la question de fond: peut-être ne voulion-nous pas devenir minces. Cette idée m'a semblé absurde. Évidemment que je voulais être mince! Ce serait... Ces points de suspension contenaient la réponse. Mince, je serais *une autre femme*. J'ai alors décidé que je ne voulais pas être mince, que cela n'avait pas tellement d'intérêt après tout: les hommes vous harcelaient davantage, vous deveniez un objet sexuel, etc. Non, vraiment, je ne voulais pas être mince... J'avais trouvé une nouvelle raison, politique celle-là, pour ne pas être mince — Je ne serais pas comme les magazines de mode voulaient que je sois; j'étais une beatnik juive et je serais *zaftig**. Je me suis détendue, j'ai mangé comme j'en avais envie et j'ai porté des vêtements qui me plaisaient. Je me sentais même assez satisfaite de moi. J'ignorais délibérément les "Conseils pour maigrir" des journaux, je traversais avec grand plaisir diverses phases alimentaires et j'étais de plus en plus sûre

---

* *Zaftig* est un mot yiddish qui signifie "juteux". Lorsqu'on dit d'une femme qu'elle est *zaftig*, cela signifie qu'elle est plantureuse. (*N.d.T.*)

de moi dans la rue. Mais les points de suspension continuaient à me narguer. Pourquoi avais-je peur d'être mince? J'ai commencé à regarder en face ce que je redoutais. De plus en plus souvent, je me demandais: en quoi le fait d'être grosse m'aide-t-il dans cette situation? *Qu'est-ce* qui me ferait peur si j'étais mince? Quand j'ai réussi à réconcilier mes deux personnalités — la "grosse" et la "mince" — j'ai commencé à maigrir. Me sentir à l'aise dans mon corps et n'être plus obsédée par la nourriture me procurait une grande satisfaction. Je me suis juré de ne plus jamais me priver des aliments que j'aime. J'ai appris une leçon capitale: mince ou grosse, je pouvais être la même femme. Satisfaite des résultats obtenus, j'ai quitté le groupe; ensemble, nous avions élaboré une théorie et une pratique sensées pour perdre du poids. Carol et moi avons décidé de poursuivre cette démarche pour aider d'autres femmes aux prises avec le même problème. Nous avons organisé d'autres groupes. Nous sommes devenues thérapeutes et, depuis cinq ans, nous travaillons avec ces femmes soit individuellement, soit en groupe.

Ce livre a été écrit pour vous faire partager notre expérience de travail; j'y explique ce que nous avons appris dans notre premier groupe, puis avec les groupes suivants et, individuellement, avec des femmes qui ont partagé avec nous leur problème d'alimentation compulsive. Un tel ouvrage a forcément des limites; il ne trace pas un tableau exhaustif de l'alimentation compulsive mais il traite de certains aspects du problème qui ont échappé aux autres spécialistes de l'obésité. Les observations et les analyses qui y sont exposées sont tirées de l'expérience de femmes vivant aux États-Unis, au Canada et en Angleterre. Toutes sont blanches et leur âge varie entre dix-sept et soixante-cinq ans. Certaines sont grand-mères, d'autres célibataires. Elles sont généralement d'origine ouvrière et appartiennent maintenant à la petite ou à la moyenne bourgeoisie. J'aimerais vraiment que ce livre atteigne une plus large audience, et qu'il rejoigne en particulier des femmes noires ou latino-américaines, mais je suis consciente que leur expérience culturelle est différente de celle des femmes avec qui nous avons travaillé; par conséquent, les thèmes que nous abordons risquent de ne pas refléter leur vécu et leurs besoins.

Bien des gens se sont penchés sur le problème de l'alimentation compulsive, entre autres, des psychiatres, des psychanalystes, des psychologues, des médecins, des nutritionnistes et des endocrinologues (1). Généralement, leur approche consistait soit à essayer de faire disparaître l'obésité, soit à traiter la cause sous-jacente de l'alimentation compulsive. Ce terme n'a jamais été défini de façon stricte mais, pour moi et pour les femmes avec qui j'ai travaillé, il correspond à des comportements que l'on peut résumer comme suit:

Manger alors que l'on ne ressent pas une faim physique.

Avoir l'impression de perdre tout contrôle devant la nourriture; se priver de manger et/ou s'empiffrer.

Passer beaucoup de temps à penser à la nourriture et à se soucier de son poids.

Être toujours à l'affût du dernier régime en vogue comme s'il s'agissait d'une information vitale.

Avoir honte de soi et de son manque de contrôle devant la nourriture.

Avoir honte de son corps.

Pour nous, l'alimentation compulsive est *à la fois* un symptôme et un problème en soi. D'une part c'est un symptôme dans la mesure où la mangeuse compulsive ne sait pas comment affronter le problème sous-jacent à ce comportement et se tourne vers la nourriture par impuissance. D'autre part, le syndrome de l'alimentation compulsive est si répandu et si douloureux à vivre qu'il faut également le considérer comme un problème en soi. Nous l'envisageons donc sous ces deux aspects. Nous examinons et démystifions le symptôme pour découvrir ce que signifie le désir d'être grosse, la peur d'être mince et le besoin de s'empiffrer et de s'affamer. Parallèlement, nous essayons d'agir directement sur le problème de façon à pouvoir modifier les émotions et les comportements liés à la nourriture. Les problèmes sous-jacents à celui de l'alimentation compulsive doivent être mis au jour et dissociés de la nourriture mais il n'est pas indispensable de les résoudre pour maigrir. Notre perspective consiste à toujours examiner les facteurs sociaux qui ont poussé les femmes à utiliser l'alimentation compulsive comme moyen d'adaptation aux pressions sexistes exercées par la société actuelle.

On sait que l'obsession de la minceur est un phénomène à la fois nouveau et limité aux sociétés occidentales où l'on ignore la famine. Dans ces pays, la production alimentaire est concentrée dans les mains de firmes multinationales (2) qui contrôlent tous les secteurs du marché, des aliments "riches en protéines", "riches en vitamines", ou encore des "produits naturels", jusqu'aux bonbons, gelées, glaces, laits et sodas diététiques. Les femmes, principales consommatrices de nourriture, se voient offrir une variété incroyable d'aliments, parmi lesquels elles doivent choisir judicieusement pour préserver la santé et le bien-être de leur famille. En même temps, chacune d'elles est bombardée d'images de minceur et de forme physique ainsi que de conseils sur la façon de se nourrir, de maigrir et d'avoir une vie heureuse et saine. Cette obsession de la minceur est aussi répandue chez les hommes que chez les femmes: même les gens jusqu'ici satisfaits de leur poids veulent maintenant maigrir. C'est ainsi que s'amorce le cycle privations/alimentation compulsive. Les femmes sont particulièrement sensibles à cette obligation d'être mince parce que, dès leur enfance, elles ont appris à se conformer à une image de la féminité où la silhouette est déterminante. On nous a appris que nous devions à la fois nous confondre avec les autres femmes et nous en distinguer, message contradictoire, il va sans dire.

Les hommes subissent de plus en plus des pressions similaires. J'ai travaillé avec de nombreux mangeurs compulsifs; toutefois, je n'ai pas essayé d'élaborer une théorie sur la façon dont le sexisme affecte le poids des hommes.

Ce livre a été conçu comme un manuel au service des mangeuses compulsives, cependant des thérapeutes pourront souhaiter intégrer cette méthode à leur propre pratique avec des mangeuses compulsives (3).

J'espère que toutes les femmes qui souffrent de compulsion alimentaire trouveront de quoi les aider dans ce livre qui présente la somme des expériences d'autres femmes dans le même cas.

Susie Orbach,
Londres, 1978.

NOTES

1. Voir le chapitre sur les aspects médicaux. La psychothérapie envisage le comportement alimentaire comme un symptôme qui disparaît lorsqu'on a déterminé la cause. Il n'y a pas de réussite spectaculaire dans le traitement du symptôme tant que l'individu continue à percevoir la compulsion alimentaire comme étant *le problème.*
2. Voir par exemple:
   Science for People 34 (hiver 1976-77). Un exposé sur les denrées alimentaires, sur les politiques internationales agricoles et l'exploitation des ressources du Tiers-Monde. Disponible chez British Society of Social Responsability, 9 Poland Street, London W.I, England.
3. Il serait important que les thérapeutes se "sensibilisent" au comportement alimentaire de leurs patients et patientes et qu'ils fassent en sorte qu'ils ou elles se sentent acceptés. Cette remarque vaut tant pour les rencontres de groupe que pour les sessions individuelles.

Introduction

L'obésité et la suralimentation sont devenues des questions ausi prépondérantes que la sexualité dans la vie de beaucoup de femmes d'aujourd'hui. Aux États-Unis, on estime que cinquante pour cent des femmes souffrent d'obésité. Tout magazine féminin qui se respecte a sa chronique "Régime"; les cliniques d'amaigrissement poussent comme des champignons et les médecins spécialistes de l'obésité font fortune. Les noms des aliments et des produits diététiques se sont glissés dans notre vocabulaire usuel. La beauté et la forme physique sont des objectifs à atteindre pour toutes les femmes. On a tellement entendu parler d'obésité et d'alimentation depuis quelques années que l'on a tendance à croire que la question est réglée; mais pour les femmes qui sont grosses, qui se sentent grosses et qui mangent de façon compulsive, le problème reste crucial et surtout douloureux.

Être grosse isole et handicape la femme. Presque inévitablement, l'excès de poids est interprété comme un échec à dominer son appétit, c'est-à-dire à dominer ses pulsions. Pour les femmes qui souffrent de compulsion alimentaire, l'angoisse est double: elles se sentent marginales par rapport au reste de la société et elles croient qu'elles sont responsables de cette marginalité.

Beaucoup de femmes ont des problèmes de poids et d'alimentation compulsive et leur nombre s'accroît sans cesse. Compte tenu de la détresse émotionnelle de ces femmes et du fait que les diverses solutions qui leur ont été proposées jusqu'ici se sont avérées inefficaces, il fallait qu'une nouvelle psychothérapie émerge du mouvement de libération des femmes pour venir à bout du problème de l'alimentation compulsive. Cette nouvelle psychothérapie se fonde sur une reformulation féministe de la psychanalyse traditionnelle.

L'approche psychanalytique a beaucoup à offrir lorsqu'il s'agit de résoudre des problèmes d'alimentation compulsive. Elle permet d'en rechercher les causes dans les premières expériences de la vie; elle nous apprend de quelle façon nous développons notre personnalité adulte, et plus particulièrement notre identité sexuelle — comment un bébé de sexe féminin devient une petite fille, puis une femme,et comment un bébé de sexe masculin devient un petit garçon, puis un homme. La psychanalyse nous aide à comprendre ce que signifie l'obésité et la suralimentation dans la vie d'une femme en expliquant ses actes conscients et inconscients.

Toutefois, sans la perspective féministe, une approche fondée exclusivement sur la psychanalyse classique reste inadéquate. Depuis la deuxième guerre mondiale, la psychiatrie, de façon générale, s'est contentée de dire aux femmes malheureuses que leur insatisfaction provenait de leur incapacité à résoudre leur "complexe d'Oedipe". L'obésité féminine a été diagnostiquée comme un symptôme obsessif-compulsif associé à la séparation-individuation, au narcissisme et à un développement insuffisant du moi (1). L'obésité est perçue comme le résultat d'une déviance et d'une haine des hommes. La suralimentation et l'obésité ont été réduites à des défauts de caractère plutôt que reconnues comme l'expression d'expériences douloureuses et conflictuelles. Qui plus est, au lieu d'essayer de découvrir et d'affronter les sentiments négatifs que les femmes entretiennent au sujet de leur corps ou de la nourriture, les professionnels se demandent comment ils peuvent arriver à faire maigrir les femmes. Alors, après avoir constaté l'échec des psychiatres, des analystes et des psychologues cliniciens, des chercheurs se sont tournés vers la biologie et même vers la génétique pour trouver les causes de l'obésité. Cela n'a pas donné de résultats concluants et durables, fautes de s'être penché sur les causes qui sont intimement liées à l'inégalité sociale des femmes.

Il est essentiel d'élaborer une analyse féministe du problème des mangeuses compulsives si nous voulons nous sortir de l'approche inefficace consistant à blâmer la victime (2) et du traitement insatisfaisant fondé sur la prétendue nécessité de s'ajuster à un modèle préétabli. Si la psychanalyse nous fournit de bons outils pour découvrir les sources plus profondes de la détresse émotive, le féminisme met en lumière le fait que ces expériences découlent du contexte social dans lequel les femmes naissent, grandissent et deviennent des femmes. L'alimentation compulsive est essentiellement un problème féminin et a donc quelque chose à voir avec l'expérience de naître femme dans notre société. Le féminisme nous fait voir que l'obésité représente pour les femmes une tentative de se libérer des stéréotypes sexistes de la société. Grossir devient alors un acte délibéré dont l'objectif conscient ou inconscient est de contester les stéréotypes féminins et l'expérience de la féminité telle que définie par notre culture.

L'obésité est une maladie sociale et une question féministe. L'obésité n'est pas le résultat d'un manque de contrôle ou de volonté. L'obésité est associée à la protection, à la sexualité, au réconfort, à la force, aux liens émotifs, à l'amour maternel, à la force morale, à l'affirmation de soi et à la colère. C'est une réponse à l'inégalité des sexes. L'obésité exprime ce que vivent les femmes d'aujourd'hui; ce fait est rarement reconnu et encore plus rarement traité. Si grossir ne change rien aux fondements de l'oppression sexuelle, l'analyse des causes sous-jacentes ou des motivations inconscientes qui poussent les femmes à manger de façon compulsive nous suggère de nouvelles possibilités de traitement. Contrairement à la plupart des méthodes d'amaigrissement, notre nouvelle approche thérapeutique ne renforce pas les rôles sociaux oppressifs qui, au départ, ont amené les femmes à l'alimentation compulsive. Mais quelle est cette position sociale à laquelle les femmes réagissent en grossissant?

La justification idéologique la plus courante de l'inégalité des sexes repose sur le concept de différences innées entre les hommes et les femmes. Seules les femmes peuvent donner naissance aux bébés et les allaiter et, par conséquent, une relation de dépendance primaire s'installe entre la mère et l'enfant. Comme cette capacité biologique est la seule différence génétique connue entre les hommes et les femmes (3), elle sert de prétexte pour partager inégalement entre les hommes et les femmes le travail, le pouvoir, les rôles et les espoirs. Cette division du travail est devenue une institution. La capacité des femmes à mettre au monde des bébés et à les nourrir les a reléguées aux soins et à la socialisation des enfants.

Le confinement des femmes dans les rôles sociaux de mère et d'épouse a plusieurs conséquences significatives qui contribuent au problème de l'obésité. D'abord, pour devenir une épouse et une mère, la femme doit trouver un homme, ce qui est présenté comme un objectif presque impossible à atteindre et pourtant essentiel. Pour avoir un homme, la femme doit apprendre à se considérer elle-même comme une chose, une commodité, un objet sexuel. Une bonne partie de sa vie et de son identité dépend de la façon dont elle se perçoit et dont les autres la perçoivent. Comme le dit John Berger dans *Ways of Seeing*:

> *Les hommes sont* actifs *et les femmes sont* passives. *Les hommes regardent les femmes. Les femmes sont attentives au regard que l'on pose sur elles. Ceci détermine non seulement les relations entre hommes et femmes mais aussi la façon dont les femmes se perçoivent (4).*

Le fait que son aspect physique ait une importance aussi déterminante dans la vie d'une femme la rend excessivement consciente de son apparence. Il lui faut s'occuper d'elle-même pour se bâtir une image que les autres trouveront plaisante et attirante, une image qui montrera au premier coup d'oeil quel genre de femme elle est. Elle doit s'observer et s'évaluer, scruter chaque détail de son corps et de son visage comme si elle était un juge extérieur. Elle tente de se conformer à l'image de la féminité proposée par les affiches, les journaux, les magazines, les films et les émissions de télévision. Les médias mettent les femmes en scène soit dans un contexte sexuel, soit dans un contexte familial; c'est-à-dire dans les deux rôles traditionnellement réservés aux femmes: d'abord, celui d'objet sexuel, ensuite, celui de mère. La femme est élevée en vue du mariage: elle doit "attraper" un homme grâce à sa belle apparence et à ses manières plaisantes. Pour cela, elle doit être attirante, en bonne santé, sensuelle, virginale, innocente, fiable, affectueuse, mystérieuse, coquette et mince. En d'autres termes, elle offre son image à l'encan du mariage. Une fois mariée, sa sexualité sera sanctionnée et ses besoins économiques, comblés. Elle aura franchi la première étape de la féminité.

Comme les femmes apprennent à se regarder d'un point de vue "extérieur" et à s'évaluer en tant qu'objets de séduction pour les hommes, elles deviennent des proies faciles pour ces empires que sont les industries de la mode et des régimes amaigrissants; celles-ci créent des images idéales puis exhortent les femmes à s'y conformer. Leur message est clair et net: le corps de la femme n'appartient pas à la femme; le corps de la femme n'est pas satisfaisant tel qu'il est. Le corps de la femme doit être mince, exempt de "duvet superflu", désodorisé, parfumé et habillé. Il doit être conforme à un idéal physique. La socialisation opérée par la famille et par l'école apprend aux fillettes à soigner leur apparence féminine. Ce travail n'est jamais terminé parce qu'en plus, l'image idéale change d'année en année. Au début des années soixante, on n'était acceptable qu'à condition d'être chétive, d'avoir la poitrine plate et de longs cheveux raides; pour obtenir ce résultat, les femmes se privaient, bandaient leur poitrine et se repassaient les cheveux. Et voilà que dix ans plus tard, il fallait avoir les cheveux frisés et la poitrine opulente... Comme les styles vestimentaires changent toutes les saisons, le corps des femmes doit changer pour s'adapter à ces modes passagères. Grandes et minces une année, petites et potelées l'année suivante, les femmes sont continuellement manipulées par des images de féminité idéale, images extrêmement puissantes parce qu'elles sont présentées comme la seule réalité possible: les ignorer signifie s'exposer à la marginalité. On incite les femmes à se conformer à ces images, à contribuer à la prospérité économique en consommant continuellement des biens et des vêtements que la prochaine mode déclassera rapidement. Dans les coulisses, une industrie de dix milliards de dollars s'apprête à remodeler les corps pour la saison suivante. Ainsi, les femmes s'efforcent sans cesse de s'ajuster à un standard défini à l'extérieur d'elles-mêmes et en changement perpétuel. Mais, pour les femmes, ces modèles de féminité sont irréels, effrayants et impossibles à atteindre; l'image n'a aucun rapport avec leur vie quotidienne.

Il y a cependant une constante dans ces images: la femme doit être mince. Pour beaucoup de femmes, manger compulsivement et grossir est devenu le moyen d'éviter d'être marchandées ou perçues comme des modèles de féminité: "Mon obésité est une façon de dire non à tous ceux qui veulent que je sois une mère parfaite, une épouse parfaite, une servante parfaite et une amante parfaite; une façon de dire prenez-moi *comme je suis* et non comme je suis censée être. Si vous vous intéressez vraiment à *moi*, vous passerez à travers les couches de graisse et vous découvrirez qui je suis." L'obésité exprime une rébellion contre l'impuissance féminine; une résistance aux pressions exercées sur la femme pour qu'elle se conforme par son apparence et par ses actes à un modèle imposé; un refus d'être évaluée uniquement en fonction de son habilité à créer une image plaisante et agréable.

Grossir est donc la réponse de la femme à la première étape du processus consistant à remplir un rôle social prescrit, à une image imposée de l'extérieur pour conquérir un homme. Mais une deuxième étape de ce processus commence lorsque la femme a atteint ce but et qu'elle est devenue une épouse et une mère.

Pour la mère, les besoins des autres passent en premier. Les mères sont les administratrices non rémunérées de petites entreprises indispensables, complexes et exigeantes. Elles n'ont pas toujours à assumer la direction de ces mini-compagnies ni à prendre des décisions majeures sur le partage des postes budgétaires ou des dépenses de capital, mais elles en gèrent habituellement les opérations quotidiennes. Pour subvenir à ces besoins, on estime que la mère travaille en moyenne dix heures par jour (dix-huit, si elle a un autre emploi à l'extérieur du foyer) pendant lesquelles elle assure l'achat de la nourriture et la préparation des repas, voit à ce que les enfants aient les vêtements, les livres et les jouets dont ils ont besoin et entretient leurs effets et ceux du père. Elle rend la maison non seulement habitable mais aussi propre et confortable; elle fait le travail d'une animatrice culturelle en organisant les loisirs de la famille afin de maintenir le contact avec les parents et les amis; elle sert de gardienne et de chauffeur aux enfants. Tant que nous sommes des bébés et des enfants, on s'occupe de nous; mais une fois adultes, on s'attend à ce que nous nourrissions et blanchissions non seulement nos bébés mais aussi nos maris. Ce n'est qu'après avoir rempli ces fonctions que les femmes peuvent enfin s'occuper d'elles-mêmes.

Dans ce rôle, la femme subit la tension particulière causée par la nourriture et l'alimentation. Après chaque naissance, l'allaitement au sein ou au biberon devient presque le centre de la vie de la mère qui finit souvent par douter de sa capacité à remplir son rôle fondamental de nourricière. À l'hôpital, le bébé est pesé après chaque tétée pour vérifier si le sein maternel donne suffisamment de lait. Les pédiatres et les livres de puériculture bombardent la nouvelle mère de conseils autoritaires et contradictoires concernant, par exemple, les horaires de tétées, la composition du mélange lacté pour le biberon ou l'introduction d'aliments solides. À mesure que ses enfants grandissent, la mère continue à se faire rappeler que sa compétence de "nourricière" est inadéquate. À coups de milliards de dollars par année, l'industrie de l'alimentation lui dicte quand et comment nourrir sa famille. La publicité l'incite à servir aux siens des petits déjeuners nourrissants, des déjeuners copieux et des dîners sains et abondants. La préoccupation constante des médias pour le travail ménager et, en particulier, pour la nourriture et l'alimentation sert d'échelle de mesure pour évaluer la performance toujours déficiente de la mère. Cette préoccupation fait de la préparation des repas un terrain miné pour la ménagère; celle-ci se retrouve devant une liste de conseils et d'interdictions à ce point contradictoires que c'est un véritable miracle qu'elle réussisse à cuisiner quoi que ce soit. Il n'est donc pas étonnant que les femmes apprennent rapidement à ne pas se fier à leurs impulsions, qu'il s'agisse de nourrir leur famille ou d'être attentives à leurs propres besoins alimentaires.

Pendant la période de sa vie consacrée à élever ses enfants, la femme doit constamment voir à ce que les autres vivent bien. Elle le fait sans penser vraiment que c'est pour elle un emploi à plein temps. Sa vie quotidienne passe à rendre possibles les activités des autres. Pendant qu'elle prépare ses enfants à devenir de futurs travailleurs et qu'elle permet à son mari d'être un travailleur plus "efficace", elle remplit son rôle qui consiste à produire et à reproduire la force de travail. Elle donne constamment sans recevoir en retour le crédit qui confirmerait son utilité sociale.

Dans une société capitaliste, toutes les personnes sont définies par leur emploi. Les *hommes* d'affaires, les universitaires et les professionnels y jouissent d'un statut plus élevé que les travailleurs et travailleuses des secteurs de la production et des services. Le travail des femmes au foyer tombe dans la catégorie de la production et des services. Qu'il soit décrit comme servile, insignifiant et peu créatif ou porté aux nues, le travail des femmes est perçu comme extérieur au mode de production et, par conséquent, dévalué. En tant que groupe, on ne permet pas aux femmes de s'exprimer autant qu'aux hommes de leur classe. Aussi opprimés qu'ils puissent l'être par une société de classes, les hommes ont davantage de pouvoir que les femmes. Tout homme doit se défier de son patron. Toute femme doit être vigilante au cas où son homme ne l'approuverait pas. Les idées et les valeurs contemporaines sont mâles. Les femmes sont perçues comme différentes des "gens normaux" (qui sont des hommes); la femme est "l'autre" (5). Les femmes ne sont pas acceptées comme des êtres humains égaux aux hommes; leur identité profonde n'est pas reconnue par la société dans laquelle elles grandissent et cela les plonge dans la confusion. Les femmes sont coincées dans un rôle d'"étrangères", même si on leur délègue la responsabilité de rendre les vies des autres productives.

Comme les femmes ne sont pas considérées comme des être humains égaux mais qu'on s'attend quand même à ce qu'elles consacrent une énorme énergie aux vies des autres, les frontières entre leur propre vie et la vie de leurs proches risquent de se confondre. Nourrir les autres, se sentir en osmose avec eux et ne pas savoir comment se garder un espace pour elles-mêmes, voilà autant de thèmes familiers aux femmes. Les mères nourrissent le monde et se donnent constamment; les besoins des autres passent en priorité. Il n'est donc pas étonnant qu'elles distinguent mal leurs propres besoins physiques et trouvent peu de façons de se préoccuper de leurs intérêts personnels. Par le biais de la nourriture, les femmes peuvent à la fois donner et se réapprovisionner. "Je mange beaucoup parce que j'ai besoin de forces pour assumer les obligations quotidiennes. Je dois m'occuper de ma famille, de ma mère et de quiconque passera dans ma vie pendant la journée. Cela me vide d'avoir tant à donner alors je mange pour combler le vide et pour trouver la force de continuer à donner." L'obésité qui en résulte sert à assurer aux femmes cet espace dont elles ont tellement besoin. "Si je me donne constamment aux autres, où commencent ou où s'arrêtent mes propres frontières?" C'est à cette question que les femmes tentent de répondre par l'obésité. Nous voulons être et avoir l'air "substantielles". Nous voulons avoir plus de poids que la société ne nous en donne. Nous voulons prendre autant de place que l'autre sexe. "Si je deviens plus grosse, aussi grosse qu'un homme, peut-être qu'on me prendra aussi au sérieux qu'un homme."

Qu'arrive-t-il à la femme qui ne correspond pas au rôle social? Bien que l'image de la femme en tant qu'objet sexuel idéal et mère parfaitement compétente soit socialement omniprésent, non seulement elle est illusoire et limitative mais elle ne correspond pas à la réalité de très nombreuses femmes d'aujourd'hui. Il y a encore bien des femmes qui se marient et ont des enfants mais plusieurs d'entre elles continuent à travailler à l'extérieur de la maison après leur mariage, que ce soit par nécessité économique ou pour essayer d'échapper aux limites de leur rôle social. Les femmes jonglent continuellement avec divers aspects de leur personnalité; s'épanouir et s'exprimer leur coûte très cher dans ce contexte hostile. Beaucoup de femmes deviennent obèses au début de leur vie adulte pour essayer d'éviter d'être transformées en objets sexuels; plus tard, beaucoup de femmes restent grosses pour tenter de neutraliser leur identité sexuelle aux yeux de ceux qui ont de l'importance pour elles tout au long de leur vie. De cette façon, elles peuvent espérer qu'on les prenne au sérieux dans leur travail à l'extérieur de la maison, là où il est rare qu'on les accepte pour leur seule compétence. Si elles perdent du poids, c'est-à-dire si elles commencent à ressembler à l'image de la perfection féminine, leurs collègues mâles se mettent à les prendre "à la légère". Les femmes minces sont prises à la légère et traitées comme des travailleuses jolies, attirantes et incompétentes. Et la femme qui perd du poids risque elle-même de ne pas être capable de dissocier la minceur de l'image sexuelle qu'elle projette et qui la définit immédiatement comme incompétente. Il est extrêmement difficile d'être conforme à l'image que la société cherche à nous imposer (la minceur) sans se conformer en même temps à l'autre image (la séduction sexuelle). “Quand je suis grosse, j’ai l’impression d’avoir du pouvoir sur ma vie. Quand je suis mince, j’ai l’impression qu’on me traite comme une petite poupée qui ne sait pas de quoi elle parle”.

Nous avons vu que l’obésité est un refus symbolique des limites du rôle féminin, un coûteux effort d’adaptation de la part des femmes qui cherchent à échapper dans leur vie aux interdictions liées à leur fonction sociale. Mais pour mieux comprendre le rôle que joue dans la vie des femmes l’obésité, et en particulier la suralimentation, il faut examiner la façon dont elles font l’apprentissage de leur rôle social. C’est un processus complexe et ironique, puisque les femmes sont préparées à cette vie d’inégalité par d’autres femmes qui elles-mêmes souffrent de ces limites: leurs mères. L’analyse féministe révèle que l’alimentation compulsive est en fait l’expression des relations complexes qui s’établissent entre mères et filles.

Si le rôle social d’une femme est de devenir mère, nourrir sa famille, dans le sens le plus large du terme, constitue l’essentiel de son travail. En tout et pour tout, ce n’est que dans la famille que la femme a un pouvoir social; sa compétence de mère et sa capacité de fournir à sa famille un appui affectif lui confère à la fois une définition et une reconnaissance où elle peut affirmer son existence. Un aspect essentiel du rôle de mère consiste à aider sa fille à assumer à son tour le rôle social de femme; la mère répète à sa fille ce que sa mère avait fait pour elle. C’est par l’intermédiaire de sa mère que la jeune fille apprend qui elle est et qui elle peut être; la mère lui propose un modèle de féminité et elle oriente le comportement de sa fille dans ce sens.

Mais dans l'univers que la mère doit proposer à sa fille, les relations entre le parent et l'enfant, entre l'homme et la femme, entre le dominant et le dominé, sont profondément inégales. L'enfant est introduit dans le monde des relations de pouvoir par une unité qui elle-même produit et reproduit ce qui est peut-être la plus fondamentale des inégalités: la famille entretient chez les petites filles un sentiment d'infériorité (6). S'il est évident que l'éducation des filles et des garçons est très différente, ce qui est peut-être moins visible, c'est que pour préparer sa fille à toute une vie d'inégalité, la mère tente de réprimer ses propres aspirations à devenir une personne humaine productive, énergique, indépendante, autonome et puissante. Depuis des temps immémoriaux, on incite la jeune fille à accepter cette rupture dans son développement humain et on la pousse à compenser cette perte en investissant son énergie dans le soin des autres. On la persuade que son épanouissement affectif se réalisera par le don de soi.

Pendant ce temps, on montre aux petits garçons à recevoir un soutien affectif sans leur apprendre à donner en retour amour et affection. Quand la jeune femme obtient finalement cette récompense sociale qu'est censé représenter pour elle le mariage, elle constate qu'il ne lui offre que rarement la possibillité d'être autonome et indépendante et qu'il ne comble pas non plus ses besoins affectifs. Être une femme signifie vivre avec cette tension créée par le fait de donner sans recevoir; la mère et la fille, coincées dans un processus qui les conduit à ce constat, se retrouvent inévitablement dans une situation ambiguë, difficile et conflictuelle.

Si nous regardons cette situation du point de vue de la mère, le processus qui consiste à guider sa fille vers une féminité adulte comporte plusieurs ambiguïtés dont la première est la question de l'indépendance. Préparée à une vie axée sur le sacrifice, la mère trouve sa satisfaction dans sa capacité de nourrir, d'aimer et d'élever ses enfants — aptitude indissociable de son rôle social. Elle a besoin de se sentir nécessaire et elle remplit son rôle de "bonne mère" en nourrissant de son mieux son enfant. La mère veut donc à la fois que sa fille reste avec elle et qu'elle la quitte. Elle veut qu'elle la quitte parce que son rôle maternel exige également qu'elle la prépare à une éventuelle indépendance; ne pas y arriver serait un échec. D'autre part, y parvenir met un terme à son rôle maternel. Or, nous avons vu que, parmi les rôles accessibles aux femmes, la maternité est le seul qui leur confère un pouvoir légitime. Par conséquent, la réussite des mères aboutit à une perte de pouvoir. Leur succès personnel est un cul-de-sac; il ne débouche pas sur la création d'un nouveau rôle générateur d'égalité et de pouvoir.

Mais l'ambivalence des mères devient encore plus douloureuse quand elles se demandent si elles désirent ou pas que leurs filles soient à leur image. Faire en sorte que l'existence de sa fille ressemble à la sienne est un moyen pour la mère de justifier sa propre vie. Mais cette vie reste malgré tout socialement insignifiante, et le fait que la fille la reproduise à son tour ne peut que perpétuer une situation d'impuissance. L'amour de la mère pour sa fille la porte inévitablement à souhaiter pour elle une autre vie.

Et pourtant, les mères éprouvent aussi des sentiments ambigus devant ces nouvelles possibilités qui s'offrent à leurs filles et dont, pour leur part, elles n'ont jamais pu disposer. Elles risquent d'en être jalouses et de craindre pour le bien-être de leurs filles dans un monde qu'elles savent hostile aux femmes, et ce, même si elles tirent une satisfaction indirecte de leurs ambitions et de leurs succès. Une mère doit rester une mère; une fille peut aspirer à davantage et s'engager dans le monde extérieur.

Examinons maintenant ces conflits du point de vue de la fille. La fille souhaite à la fois quitter sa mère et rester auprès d'elle. Quitter sa mère signifie pour elle acquérir son autonomie, s'intégrer au monde, manifester son émergence en tant que femme adulte. Et pourtant, cette autonomie est en elle-même problématique. Comme nous l'avons vu, l'autonomie ne fait pas encore partie des choix offerts aux femmes dans notre société. Les filles éprouvent donc une forte ambivalence devant la possibilité de s'écarter du rôle traditionnel; elles s'y sentent mal préparées tant par ce qu'elles ont appris dans la société en général que par l'éducation qu'elles ont reçue de leur propre mère.

Les filles s'identifient à cette impuissance qui est le lot de leur mère en tant que femme dans une société patriarcale: elles ont appris à être comme leur mère. Mais, encore là, l'ambivalence prévaut. Les filles veulent à la fois ressembler à leur mère et ne pas être comme elle. Elles peuvent s'identifier à elles en tant que femmes, en tant que donatrices et bienfaitrices, et désirer par ailleurs vivre autrement leur féminité. En s'écartant du rôle traditionnel de la femme, la fille peut avoir l'impression de trahir sa mère ou de la mépriser en faisant "mieux" qu'elle. Le fait de se retrouver en terrain inconnu et mouvant risque également de susciter chez la fille un certain malaise. De plus, si la fille s'identifie à l'impuissance de sa mère, elle peut croire que son rôle consiste à prendre soin de celle-ci, à donner à sa mère ces attentions, ces soins et cet amour dont elle a toujours été privée bref, de devenir en quelque sorte la mère de sa mère. Son départ ressemblerait alors de plus en plus à une trahison.

Comment ces ambivalences et ces conflits de la relation mère/fille peuvent-ils trouver leur expression dans la nourriture, la suralimentation et l'obésité? Par quel mécanisme la femme adulte qui a d'un problème d'alimentation compulsive exprime-t-elle ce qu'elle a vécu avec sa mère? Il est évident que la nourriture joue un rôle crucial dans la relation de la mère avec son enfant, quel que soit son sexe. Du large éventail des activités nourricières que l'on attend des mères, donner à manger est la plus essentielle et, donc, la plus instinctive. Le sein maternel peut nourrir l'enfant pratiquement sans que la mère ait à poser le moindre geste conscient alors que les autres fonctions maternelles, y compris l'apport affectif, nécessitent un apprentissage.

L'ambivalence de la mère vis-à-vis de sa fille peut l'empêcher de la nourrir avec toute l'attention voulue, tant sur le plan physique que sur le plan affectif. Les bébés des deux sexes vivent leur première relation d'amour avec leur mère mais, rapidement, la mère doit priver sa fille d'une partie de ses attentions pour lui enseigner les voies de la féminité. Cet état de choses a des conséquences spécifiques. Dans son livre *Du côté des petites filles* (7), Elena Gianini Belotti cite une étude sur les gestes et les attitudes des mères qui allaitent leur bébé. Sur un échantillonnage de bébés des deux sexes, quatre-vingt-dix-neuf pour cent des garçons étaient nourris au sein alors que chez les filles ce pourcentage tombait à soixante-six pour cent. Les filles étaient sevrées beaucoup plus tôt que les garçons et le temps consacré par la mère à nourrir l'enfant était de moitié inférieur pour les filles (dans le cas de l'allaitement au sein et au biberon, cela signifiait des quantités de lait beaucoup moindres). Donc, souvent, les filles sont moins bien nourries, et avec moins d'attention et de tendresse qu'elles en auraient besoin. Plus tard, ces privations alimentaires seront suivies de privations affectives inconscientes de la part de la mère.

Bien que, sans s'en rendre compte, la mère risque de mal nourrir sa fille, c'est à regret qu'elle cesse de le faire. En l'absence d'un autre rôle à assumer, elle peut éprouver de la difficulté à se dissocier de cette enfant qui a quitté son utérus; elle risque de la percevoir comme un produit qui lui appartient, une extension d'elle-même. Elle a donc intérêt à conserver son pouvoir sur la nourriture: quelle sorte d'aliment l'enfant mangera, quelle quantité, quand et comment. Elle a besoin de perpétuer cette dépendance initiale pour assurer sa propre survie sociale.

La nourriture et l'alimentation peuvent susciter de profondes ambivalences chez la mère. Celle-ci doit empêcher que sa fille soit trop gourmande et devienne obèse, ce qui serait une catastrophe pour son avenir. Elle doit s'assurer que l'enfant ait l'air en bonne santé — ce qu'on associe généralement à une certaine rondeur — et, d'autre part, elle a besoin de maintenir la dépendance de l'enfant; qui serait-elle si elle n'était plus perçue comme une mère? Pourtant, elle n'aime pas cette dépendance qui la rend prisonnière, draine son énergie et l'empêche de se consacrer à autre chose. Finalement, elle doit préparer sa fille à devenir à son tour une dispensatrice de soins affectifs et physiques pour les autres — ses enfants, son amant, son mari et même ses parents. Elle doit apprendre à sa fille à nourrir les autres, au propre et au figuré, même s'il lui faudra pour cela renoncer à un plein épanouissement.

Pendant ce temps, la petite fille se transforme peu à peu en femme, et sa façon de se nourrir peut devenir pour elle une réaction symbolique aux privations tant physiques qu'affectives dont elle a souffert dans son enfance, autrement dit, l'expression de ses conflits intimes avec sa mère. À mesure qu'elle développe son habileté, la petite fille apprend à se nourrir elle-même et à choisir ses aliments, ce qui lui donne une indépendance de plus en plus grande vis-à-vis de sa mère. Mais cette rupture est conflictuelle pour la fille. D'une part, elle désire s'éloigner et apprendre à s'occuper d'elle-même; d'autre part, le fait de pouvoir prendre soin d'elle-même ressemble à un rejet de la mère. Ce rejet est lourd de conséquences à cause des limites inhérentes au rôle de la femme dans une société patriarcale: si la mère n'est plus indispensable en tant que mère, que deviendra-t-elle? La fille se sent coupable de priver sa mère de son rôle unique. Une fois adulte, la fille cherche à combler son besoin d'affection par le biais des relations sociales. Elle risque de continuer à souffrir de privations parce que, trop souvent, son partenaire n'aura pas appris à donner. Elle se tourne vers la nourriture dans sa quête de chaleur, de réconfort, d'appui et d'amour, dans l'espoir d'y trouver ce quelque chose d'indéfinissable qui semble toujours lui échapper.

L'alimentation compulsive devient pour elle un moyen d'exprimer l'une ou l'autre facette de ce conflit. Se suralimenter peut être une manifestation de son refus de devenir à son tour une mère en même temps qu'un reproche muet à sa propre mère pour l'avoir privée; au contraire, cela peut aussi être une tentative de maintenir son identification avec sa mère. La culture populaire regorge d'exemples sur la valeur symbolique de la nourriture et de l'obésité dans les relations mère/fille. Dans *Lady Oracle*, par exemple, Margaret Atwood montre comment l'obésité de son héroïne devient une arme dans sa lutte contre sa mère. Quand celle-ci accorde à Joan une allocation-vêtements dans l'espoir de l'inciter à perdre du poids, Joan choisit délibérément des vêtements qui accentuent sa grosseur et réussit finalement à faire fondre sa mère en larmes grâce à l'achat d'un manteau sport vert lime:

> *Ma mère ne pleurait jamais devant moi et j'en fus atterrée, mais aussi exaltée devant cette preuve de mon pouvoir, de mon seul pouvoir. Je l'avais vaincue: jamais je ne la laisserais me refaire à son image, mince et belle(8).*

De même, dans le film *Summer Wishes, Winter Dreams*, quand la mère fait des reproches à sa fille au sujet de son poids, celle-ci réplique que sa graisse lui appartient, qu'elle en est la seule responsable et que cela, au moins, sa mère ne peut le lui enlever.

Les femmes qui se sont penchées sur les rapports entre leur alimentation compulsive et leur relation avec leur mère en sont venues à diverses constatations dont voici quelques exemples:

> *Mon obésité est une façon de dire à ma mère: "Je suis imposante. Je suis capable de me protéger et de faire mon chemin dans le monde."*
>
> *Mon obésité est une façon de dire à ma mère: "Regarde-moi. Je suis lamentable. Je ne sais pas*

prendre soin de moi. Tu peux continuer à être ma mère."

Mon obésité est une façon de dire à ma mère: "Je vais dans le monde extérieur et je ne peux pas t'amener mais je peux prendre avec moi une partie de toi qui nous rattache l'une à l'autre. Mon corps est issu de toi. Ma graisse me rattache à toi; elle me permet de te garder avec moi."

Mon obésité est une façon de dire à ma mère: "Je te quitte mais j'ai encore besoin de toi. Mon obésité prouve que je ne suis pas vraiment capable de prendre soin de moi."

Pour la mangeuse compulsive, l'obésité a une signification symbolique beaucoup plus large que l'analyse féministe met au jour. L'obésité est une réponse aux innombrables manifestations sexistes de notre société, une façon de dire "non" à l'impuissance et à la négation de soi, ainsi qu'à des normes sexuelles contraignantes qui exigent que les femmes se conforment à une image et à un comportement stéréotypés, et qu'elles se plient à une conception de la féminité qui détermine un rôle social spécifique. L'obésité est un outrage aux idéaux occidentaux de beauté féminine: toute femme "trop grosse" met son grain de sable dans le mécanisme social et culturel qui vise à nous transformer en simples marchandises. L'obésité exprime également la tension des relations mère/fille, relations qui doivent procéder à la "féminisation" de la femme. Il est inévitable que ces relations soient difficiles dans une société patriarcale qui exige des mères déjà opprimées qu'elles transmettent à leurs filles cette oppression qui est leur destin social, qu'elles les y préparent et qu'elles la renforcent.

Même si l'obésité remplit une fonction symbolique en exprimant une révolte contre la manipulation des femmes dans leurs relations aux autres, en particulier dans la relation fondamentale mère/fille, devenir obèse reste un moyen douloureux et désespéré d'essayer de résoudre ces conflits. Que la femme tente ainsi de se conformer aux attentes de la société ou, au contraire, de s'inventer une nouvelle identité, le prix à payer est exorbitant.

Quand les choses clochent à ce point, il faut s'attendre à une réaction et à un déséquilibre psychologiques. Rien ne peut aller plus mal que lorsqu'une société patriarcale tente d'inhiber les désirs d'expression et de création d'une jeune fille, pour la forcer à limiter presque exclusivement son univers à des pensées, des émotions et des activités dites féminines. Le développement psychologique de la femme est structuré de façon à la préparer à une vie d'inégalité, mais cette camisole de force n'est pas endossée sans résistance et la "réaction" est inévitable. La perturbation psychologique qui en découle entraîne souvent des conséquences néfastes qui se répercutent sur la capacité de la femme à bien se nourrir, à bien dormir, à s'exprimer et à jouir de sa sexualité. Je crois que l'une des raisons qui font que tant de femmes ont des problèmes d'alimentation réside dans le fait que la relation sociale entre celle qui nourrit et celle qui est nourrie, entre la mère et la fille, est pervertie par l'ambivalence et l'hostilité et qu'elle devient un mécanisme tout désigné pour refléter les conflits et la révolte.

Examiner les fonctions symboliques de l'obésité nous permet de comprendre l'expérience féminine individuelle dans une société patriarcale. L'obésité comme moyen d'adaptation à l'oppression des femmes est une stratégie politiquement inefficace et qui n'apporte pas de solution personnelle satisfaisante. C'est cette approche que nous privilégions avec notre thérapie sur l'alimentation compulsive et c'est dans un contexte féministe que nous la développons au cours des chapitres suivants.

NOTES

1. Voir par exemple:
   G. Bychowski, "Neurotic Obesity" in *The Psychology of Obesity*, Springfield, Illinois, ed. N. Kiell, 1973.
   Ludwig Bingswanger, "The Case of Ellen West", *Existence*, New York, ed. Rollo May, 1958.
2. William Ryan, *Blame the Victim*, New York, 1971. Ce livre montre de quelle façon nous arrivons à blâmer les victimes plutôt que les oppresseurs.
3. Dorothy Griffiths et Esther Saraga, "Sex Differences in a sexist Society", communication présentée à l'International Conference on sex-role stereotyping, British Psychological Society, Cardiff, Wales, juillet 1977.
4. John Berger *et al*, *Ways of Seeing*, London, 1972, p. 47. (notre traduction)
5. Simone de Beauvoir, *Le Deuxième Sexe*, Paris, Gallimard, 1948.
6. Voir au sujet des critiques de la théorie psychanalytique: Juliet Mitchell, *Psychanalyse et féminisme*, Paris, Édition des femmes, 1975.
   Phyllis Chester, *Les femmes et la folie*, Paris, Payot, 1975.
7. Irène Lézine, "Le développement psychologique de la première enfance" *in* Elena Gianini Belotti, *Du côté des petites filles*, Paris, Édition des femmes, 1974, chapitre 1.
8. Margaret Atwood, *Lady Oracle*, trad. de l'anglais par Marlyse Piccand, Montréal, Éditions l'Étincelle, 1979, p. 111.

Chapitre premier

L'obésité: ce qu'elle représente pour la mangeuse compulsive

Des personnes qui mangent de façon compulsive, beaucoup sous-estiment la relation entre leur façon de se nourrir et leur poids. La mangeuse compulsive a souvent l'impression de manger de manière désordonnée, incontrôlée, autodestructrice, et elle pense que cela constitue la preuve de son manque de volonté. Mais, en même temps, elle peut aussi se dire que, tout simplement, elle aime beaucoup manger, qu'elle est trop gourmande pour son propre bien, et que si ce n'était des kilos et des centimètres que toute cette nourriture lui fait gagner, il n'y aurait pas de problème. Bien des femmes affirment que s'il existait une pilule magique leur permettant de manger et de manger sans cesse tout en gardant leur ligne, elles seraient très heureuses; certaines ont été jusqu'à subir une chirurgie pour parvenir à cet état. Il est donc clair que les gens voient le rapport entre la suralimentation et l'obésité et qu'ils essaient, par divers schémas de privation, de juguler leur boulimie pour ne pas devenir trop gros.

Mais ce qu'il y a de crucial dans ce lien, ce qui peut permettre de briser le cycle régimes/boulimie, a été trop souvent négligé ou mal compris tant par les mangeuses compulsives elles-mêmes que par les personnes qui essayaient de les aider: la compulsion alimentaire est associée au désir d'être grosse. Ce fait n'est pas très évident et peut être difficile à comprendre. Toutefois, il est essentiel de l'envisager lorsqu'on cherche à comprendre le caractère inéluctable de l'incohérence apparente de la relation que la mangeuse compulsive entretient avec la nourriture.

Une fois que l'on reconnaît que les habitudes de compulsion alimentaire expriment le désir d'être grosse, bien des choses s'éclairent et s'expliquent d'elles-mêmes, et la possibilité de briser la dépendance de la nourriture peut alors être envisagée.

L'alimentation compulsive est une activité extrêmement douloureuse: derrière toutes ces blagues autocritiques, il y a une personne qui souffre énormément. Une grande partie de sa vie est centrée sur la nourriture: ce qu'elle peut et ne peut pas manger, ce qu'elle mangera et ce qu'elle ne mangera pas, ce qu'elle a mangé et ce qu'elle n'a pas mangé, quand elle mangera de nouveau et quand elle s'empêchera de manger encore. En général, la mangeuse compulsive est incapable de laisser la moindre bouchée dans son assiette et finit par manger non seulement aux repas mais à tout moment de la journée, de la soirée et de la nuit. La plupart du temps, elle mange en secret ou avec des amies qui ont le même problème qu'elle; en public, elle est la championne des régimes et l'on admire beaucoup son abstinence. Quand elle veut manger un gâteau, elle va à la pâtisserie et prétend que le moka qu'elle achète est destiné à sa fille ou à une amie; elle le fait emballer et n'ose le sortir de la boîte que lorsqu'elle est certaine d'être à l'abri de tous les regards. Ou encore, elle achète des bonbons, les cache dans sa poche et les glisse furtivement dans sa bouche en marchant ou en conduisant sa voiture. L'obsession de la nourriture va de pair avec un immense mépris de soi, avec le dégoût et la honte. Ces sentiments viennent de l'impression de n'avoir aucun contrôle sur leur alimentation et les mangeuses compulsives tentent de se discipliner de mille et une façons. Plusieurs pensent que si elles n'ont pas accès à la nourriture, tout ira bien. Par conséquent, si la mangeuse compulsive vit seule, ses armoires de cuisine et son frigidaire seront pratiquement vides et auront un petit air de laboratoire: lait écrémé, lait glacé, fromage cottage, sodas et desserts à basse teneur en calories s'y côtoieront comme ersatz des vrais aliments.

Alison, une zoologiste de vingt-neuf ans, pratiquait ce système consistant à bannir de son appartement tout aliment agréable à manger; elle en connaît bien les aléas. Alison raconte qu'une nuit, elle s'est réveillée avec une envie irrésistible de manger. Comme elle s'était empiffrée toute la soirée, il ne restait pratiquement rien d'autre que des céréales sèches dans ses armoires. Mais, depuis deux semaines, elle gardait en tête une fournée de biscuits aux brisures de chocolat qu'elle avait confectionnés pour Greg, son voisin du dessus. Greg était parti en vacances et Alison savait qu'il ne les avait pas tous mangés parce que, en allant arroser ses plantes, elle avait remarqué la boîte sur le comptoir de la cuisine. Elle est sortie de son lit, elle a pris les clés, elle est allée chez Greg, elle a trouvé les biscuits et, debout devant la boîte, elle les a tous mangés. Elle ne pouvait pas se contenter d'en prendre un ou deux, parce que ce ne serait pas assez, mais d'autre part, si elle en avait mangé plusieurs, Greg se serait aperçu qu'il en manquait. Alors elle a réglé le problème en les mangeant tous, transie de froid au milieu de l'appartement désert, dans l'espoir qu'à son retour Greg aurait complètement oublié ses biscuits.

Si la mangeuse compulsive vit avec d'autres, il est probable que sa cuisine débordera d'aliments tous plus appétissants les uns que les autres qu'elle se refuse ou qu'elle devrait, croit-elle, se refuser. Hélène a cinquante ans et elle est mère de deux enfants. Elle surveille son poids depuis une trentaine d'années et elle est à ce point terrifiée par la nourriture qu'elle a demandé à son mari de fermer à clef la porte de la cuisine tous les soirs. Elle a installé un percolateur et un plat de carottes et de céleris près de son lit et elle s'est bannie de la cuisine où elle ne met les pieds que pour préparer les repas familiaux et pour manger une version-régime de ces aliments. Ce n'est là qu'un exemple extrême de ce que vivent de nombreuses mangeuses compulsives qui tentent de fuir la nourriture.

Hélène parlait de son problème à son mari mais, pour Alison, il était d'une importance capitale que personne ne sache qu'elle mangeait de cette façon. Bien des femmes souffrant de compulsion alimentaire trouvent insupportable que les autres pensent qu'elles sont grosses parce qu'elles mangent trop. Elles ne peuvent tolérer que les autres établissent un rapport entre ce qu'elles mangent et leur obésité; cela explique en partie le fait que, en public, les mangeuses compulsives semblent avoir un appétit d'oiseau. D'autres femmes réagissent différemment. Récemment, on a fait une énorme publicité à une nouvelle méthode d'amaigrissement qui consiste à se faire attacher les mâchoires avec des broches de métal. Les femmes soumises à ce traitement étaient très grosses (plus de 110 kilos) et subsistaient grâce à une diète liquide; une fois par semaine, on desserrait leurs broches pour leur permettre de se brosser les dents. Ces exemples peuvent sembler extrêmes, caricaturaux, mais ils montrent bien jusqu'où peut aller le désespoir de nombreuses mangeuses compulsives, prouvant que l'alimentation compulsive est une habitude à la fois profondément douloureuse et extrêmement difficile à abandonner. Quand les gens répètent sans cesse un acte qui les fait souffrir, il faut en chercher les causes. Se contenter de dire qu'il s'agit d'un comportement autodestructif, par exemple, n'aide personne à comprendre les forces qui poussent à la compulsion alimentaire. Au contraire, le fait de porter un jugement négatif sur cette activité donne à la mangeuse compulsive une raison supplémentaire de se déprécier; il en résulte une tension qui ne sera soulagée que par une crise de boulimie ou par un autre régime amaigrissant. D'après notre expérience, avant de pouvoir renoncer à une habitude, en l'occurrence l'alimentation compulsive, il faut en explorer les causes. Comme je l'ai montré plus haut, devenir obèse est un acte délibéré lié au statut social des femmes; pour qu'une femme cesse de manger de manière compulsive, elle doit comprendre les significations profondes de son obésité. Une fois qu'elle aura renoncé à l'alimentation compulsive, il est à peu près certain que son poids diminuera et se stabilisera. Pour qu'elle puisse se sentir à l'aise avec ce nouveau poids constant et, ce qui est encore plus important, avec le fait d'être plus mince, la mangeuse compulsive a besoin de comprendre quel était son intérêt à être trop grosse et à se préoccuper à ce point de son alimentation. Si elle arrive à savoir à quoi lui servait son obésité, elle pourra commencer à perdre du poids.

Dans ce chapitre, je vais expliquer et décrire les six étapes principales que nous franchissons avec nos groupes:

1. Démontrer que la mangeuse compulsive a intérêt à être obèse.

2. Montrer que cet intérêt est en grande partie inconscient.
3. Faire des exercices qui ramènent cet intérêt au niveau conscient.
4. Permettre à chaque femme de découvrir individuellement la signification de son obésité.
5. Vérifier si l'obésité a bien la fonction qu'elle est censée avoir.
6. Aider chacune des femmes à faire face aux problèmes qu'elle associait jusqu'ici à sa seule obésité.

Dans notre société, l'obésité a tellement de connotations négatives qu'il peut être difficile d'imaginer que qui que ce soit puisse avoir intérêt à être grosse.

Être grosse, cela veut dire entrer dans le métro et se demander s'il y aura assez de place pour nous sur le siège.

Être grosse, cela veut dire se comparer à toutes les autres femmes et essayer d'en trouver d'aussi grosses que soi pour pouvoir enfin se sentir à l'aise.

Être grosse, cela veut dire être joviale et sociable pour compenser ce que l'on croit être ses carences.

Être grosse, cela veut dire refuser d'aller se baigner ou d'aller danser.

Être grosse, cela veut dire être exclue de la culture de masse, de la mode, des sports et de la vie sociale.

Être grosse, cela veut dire être un motif constant de gêne et d'embarras pour soi-même et pour ses amis et amies.

Être grosse, cela veut dire s'inquiéter chaque fois que l'on aperçoit une caméra dans les environs.

Être grosse, cela veut dire avoir honte d'exister.

Être grosse, cela veut dire attendre de devenir mince pour commencer à vivre.

Être grosse, cela veut dire n'avoir aucun besoin.

Être grosse, cela veut dire être toujours en train d'essayer de maigrir.

Être grosse, cela veut dire ne jamais prononcer le mot "non".

Être grosse, cela veut dire avoir une excuse pour ses échecs.

Être grosse, cela veut dire attendre l'homme qui vous aimera malgré la graisse, l'homme qui passera à travers les "couches".

Être grosse, de nos jours, c'est se faire dire par nos amies que les hommes ne sont pas si extraordinaires que cela, avant même d'avoir pu le constater par soi-même.

Par-dessus tout, la femme obèse désire se cacher. Mais, paradoxalement, son lot dans la vie est d'être perpétuellement remarquée.

Ces conceptions populaires de l'obésité, bien qu'exactes, ne brossent qu'un tableau incomplet de ce que vit la mangeuse compulsive. L'obésité comporte aussi des avantages qu'il ne faut pas négliger. Je ne dis pas que le désir d'être grosse est conscient; au contraire, je pense que les gens en sont en grande partie inconscients et qu'il n'est pas facile d'en parler abstraitement. Dans nos groupes, nous nous adonnons à l'exercice suivant pour avoir un aperçu des avantages que l'on peut tirer de l'obésité. Je vous propose de fermer les yeux pendant une dizaine de minutes et de demander à quelqu'un de vous lire ce texte:

Imaginez-vous pendant une de vos activités sociales... au travail, chez vous, lors d'une réception, ou ailleurs... regardez comment vous êtes habillée...

êtes-vous debout ou assise?... que faites-vous?... avec qui parlez-vous?... Maintenant, imaginez-vous dans la même situation, mais beaucoup plus grosse... Vous y êtes?... comment vous sentez-vous?... êtes-vous debout ou assise?... Reconstituez la scène en détail... comment agissez-vous avec les gens qui vous entourent?... Participez-vous activement à ce qui se passe ou vous sentez-vous exclue?... Faites-vous plus ou moins d'efforts?... Demandez-vous maintenant si toute cette graisse n'exprime pas certains messages destinés à votre entourage... Est-ce qu'elle vous sert d'une façon ou d'une autre?... Être grosse comporte-t-il certains avantages dans cette situation?...

Lorsque nous faisons cet exercice en groupe, nous obtenons des résultats très diversifiés dont certains sont assez étonnants: il suscite, entre autres, le sentiment d'être monstrueuse, marginale ou inexistante, ou encore la conviction que les gens qui vous parlent le font soit par pitié, soit parce qu'eux-mêmes sont monstrueux. Mais le résultat le plus significatif, c'est que les femmes trouvent un nouveau sens à l'obésité par le biais de ce fantasme. Chez certaines, il déclenche un sentiment de sécurité et de confiance en soi, l'obésité représentant une force concrète et visible; pour d'autres, l'obésité devient très rassurante parce qu'elle excuse d'avance leurs échecs éventuels et parce que pendant qu'elles s'inquiètent au sujet de leur poids, elles n'ont plus à penser aux autres problèmes de leur vie. Certaines femmes ont l'impression qu'être grosses les protège dans la mesure où cela leur permet de contenir leurs émotions. D'autres disent se sentir bien dans leur obésité; elles ont l'impression d'être chaleureuses et d'avoir plein d'amour à donner aux autres. Mais le principal avantage que les femmes trouvent dans l'état d'obésité est que cela les protège de la sexualité. Lorsqu'elle se trouve grosse, la femme est souvent capable de se "désexualiser": sa graisse lui évite de se considérer comme un être sexuel. Après avoir fait cet exercice, beaucoup de femmes ont déclaré qu'elles se sont senties détendues à cette réception où elles n'avaient plus à être en représentation ou à entrer en compétition et pouvaient bavarder tranquillement avec des amies. D'autres avaient l'impression que l'obésité les distinguait d'un type de femmes envers qui elles nourrissaient des sentiments ambivalents parce qu'elles les jugeaient égocentriques, vaniteuses et superficielles. D'autres encore avaient l'impression de pouvoir mieux se défendre et tenir les intrus à distance. De nombreuses femmes étaient soulagées de ne plus avoir à assumer leur sexualité; l'obésité les éliminait de la catégorie des "femmes" et les plaçaient dans la catégorie androgyne des "grosses filles".

À mesure que, dans les groupes, les femmes commencent peu à peu à voir les aspects positifs et les avantages de leur obésité, elle se mettent à avoir une image différente d'elles-mêmes. Leur obésité n'est plus totalement négative ni irrémédiablement associée à une vision d'horreur. Au lieu de se percevoir comme désespérées, impuissantes et volontairement autodestructrices, elles constatent que leur compulsion alimentaire avait un but, une fonction; et, à mesure que cette fonction se fait plus apparente, il leur est possible de devenir plus indulgentes vis-à-vis d'elles-mêmes, d'interpréter l'alimentation compulsive et le désir d'être grosses comme une façon de faire face à des situations particulièrement difficiles. La compulsion alimentaire peut alors être considérée comme une tentative de s'adapter à un ensemble de circonstances plutôt que comme un comportement irrationnel, voire "névrotique".

Je voudrais maintenant que nous examinions pourquoi ces images d'embonpoint sont rassurantes. Pourquoi les femmes disent-elles se sentir plus capables quand elles sont grosses?

De très nombreuses femmes trouvent que les exigences de la société sont impossibles à satisfaire, qu'elles sont irréelles, indésirables, trop lourdes et opprimantes. Essentiellement, on s'attend à ce que les femmes soient, d'une part, assez décoratives et attirantes pour agrémenter la vie de leur entourage et que, d'autre part, elles se chargent de la dure tâche d'élever les enfants et de tenir la maison tout en travaillant en même temps à l'extérieur. Pour bien des femmes, le modèle physique de la fleur frêle et timide, qui sourit modestement les yeux baissés, est trop fragile et inconsistant pour s'acquitter des tâches quotidiennes qu'exigent leurs responsabilités diverses. Pour elles, l'obésité représente la solidité et la force. Harriet, une travailleuse sociale de trente-cinq ans, vivant avec son mari et ses deux enfants, l'explique en ces termes: "J'avais l'impression que mon obésité me donnait de la consistance et de la présence physique dans le monde, qu'elle me permettait de faire tout ce que j'avais à faire. Pendant l'exercice, je me voyais assise à mon bureau et occupant un espace considérable. Je me sentais capable de faire tout ce qu'il fallait que je fasse, de tenir tête à mon patron et de lutter plus efficacement pour la collectivité que je sers. Je sentais cette force augmenter à mesure que je grossissais. Puis, dans mon fantasme, je rentrais à la maison et, à cause de tout ce poids supplémentaire, quelque chose m'a frappée: j'allais au-devant d'une situation conflictuelle en portant ma graisse comme une armure. Dès que je mets les pieds chez moi, cela me rappelle toutes les tâches que je dois accomplir moi-même ou faire exécuter par les autres. Tout cela me met en colère, parce que je n'aime pas me sentir aussi autoritaire, mais aussi, évidemment, parce que la famille est mon terrain, et que je n'ai pas le choix. Alors, dans cette situation, l'obésité me donne l'impression d'être un sergent-major: énorme et imposant. Quand je m'imagine dans cette situation, mais mince cette fois, ce qui me frappe immédiatement, c'est à quel point je me sens petite et fragile, comme si j'allais disparaître ou être emportée."

Barbara a vingt-sept ans et elle est graphiste dans une maison d'édition; elle nous a parlé des attentes agaçantes de plusieurs de ses collègues masculins. Elle avait l'impression que son embonpoint exprimait son besoin d'être reconnue comme être humain productif plutôt que comme un objet destiné à enjoliver le décor. Dès qu'elle était le moindrement séduisante, ce qui était le cas lorsqu'elle était mince, elle sentait que ses collègues ne réagissaient plus qu'à son aspect sexuel; elle ressentait cela comme une exigence qui lui faisait peur et la détournait de son travail. Comme beaucoup de femmes, Barbara devait déjà lutter contre elle-même pour prendre son travail au sérieux. Elle avait grandi avec l'idée qu'elle ne travaillerait qu'un an ou deux en sortant de l'école et qu'ensuite elle se marierait et aurait des enfants. Mais avec les années, elle avait changé d'idée et, en quittant le collège, elle était décidée à travailler pour faire carrière et non seulement pour "passer le temps". Elle n'avait pas pris cette décision à la légère: elle se sentait appuyée puisque toutes ses amies faisaient elles aussi du travail l'élément central dans leur vie. Cependant, Barbara doutait de sa capacité à être une bonne travailleuse. Son travail artistique n'était ni médiocre ni insatisfaisant, au contraire, mais Barbara luttait contre l'idée inconsciente que prendre son travail au sérieux était ridicule de sa part. Dans le groupe, il lui a été possible d'exposer son problème et de comprendre à quel point il lui était difficile d'être mince/sexuelle au travail parce qu'alors elle devenait complice du regard que les hommes portaient sur elle, et qui la réduisait à son sexe. Elle avait l'impression que la seule façon de se cramponner à sa carrière était de se doter d'une couche supplémentaire de graisse pour effacer sa féminité. Selon ses propres termes: "Grosse, je devenais un des gars."

En groupe, nous avons également approfondi l'ambivalence de Barbara vis-à-vis des modèles de comportements féminins très différents: celui qu'elle avait intégré dans son enfance et qui s'inspirait non seulement de la vie de sa mère mais aussi de la conception populaire de la féminité qui avait cours dans les années cinquante et au début des années soixante d'un côté, et, de l'autre, un modèle qu'elle et ses contemporaines luttent pour faire émerger, une vision de la féminité moins plafonnée et moins axée sur les racines même de l'oppression des femmes dans la famille. Selon mon expérience, ce conflit est extrêmement troublant et douloureux pour beaucoup de femmes et on ne peut le résoudre par une prise de conscience éclair. Il est important de comprendre que l'objectif du travail de nos groupes n'est pas nécessairement de résoudre ce conflit, ni aucun autre qui pourrait être la cause de la compulsion alimentaire. Ce qui est important, c'est de mettre ce conflit en lumière, de faire en sorte que la femme sache qu'il existe et que le fait de manger compulsivement ne le fera pas disparaître, que l'obésité ne peut que le masquer en fournissant alors un motif de préoccupation moins menaçant. C'est pourquoi il est crucial que la femme soit consciente de l'existence du conflit de façon à ne plus avoir à le refouler et à l'exprimer indirectement. Cette conscience devient alors une arme puissante pour lutter contre la compulsion alimentaire. Il est très rassurant de découvrir qu'on avait d'excellentes raisons de manger d'une façon qui semblait aussi inexplicable. Cela nous donne des outils pour agir; ainsi, quand Barbara s'apercevait qu'elle était en train de s'empiffrer, elle pouvait se demander ce qui la troublait vraiment. Si aucune réponse ne lui venait spontanément à l'esprit, elle pouvait revenir sur les événements de la journée qui avaient pu déclencher une crise de boulimie et se demander s'il n'y avait pas eu d'incidents plus particulièrement reliés à son ambivalence quant à son rôle dans la société. Et, une fois en mesure de décoder la signification de son comportement, il lui devenait possible de le modifier: elle pouvait se demander si être grosse pouvait vraiment lui être d'une utilité quelconque dans cette situation.

L'obésité peut donc être l'expression du besoin de la femme d'obtenir une reconnaissance dans le monde du travail. Mais ce n'est évidemment pas sa seule signification. Un autre thème revient fréquemment et il est presque diamétralement opposé à celui-ci. Les fantaisies exprimées par les femmes qui se livrent à notre exercice sont souvent très variées et, chez une même personne, l'obésité peut avoir des significations diverses qui peuvent même sembler à première vue contradictoires. Barbara, par exemple, a compris qu'elle se servait de son obésité pour qu'on la prenne au sérieux au travail mais elle a découvert en même temps que sa graisse symbolisait également sa peur de la réussite, tant sur le plan professionnel que sur le plan amoureux. Cette peur du succès était évidemment liée en grande partie à la position sociale d'une jeune femme d'aujourd'hui qui a intégré des messages contradictoires sur ses possibilités. S'écarter des chemins battus est effrayant. Présumer de l'échec devient alors un mécanisme rassurant et utile; l'embonpoint de Barbara lui fournissait une excuse en cas d'échec amoureux ou professionnel. Elle s'est aperçue qu'elle ne pouvait pas supporter l'idée que ses vies professionnelle et amoureuse ne soient pas parfaitement satisfaisantes, puisqu'elle avait consacré son énergie à réussir les deux. Elle avait le sentiment qu'un échec dans l'un ou l'autre de ces domaines serait nécessairement attribuable à une faiblesse de caractère de sa part. Mais cette idée était en soi si douloureuse qu'elle avait préféré prendre son poids comme excuse dans l'éventualité d'un échec. Tant qu'elle restait trop grosse, et que ses amours ou sa carrière n'étaient pas à la hauteur de ses espoirs, elle pouvait s'imaginer que si elle était mince, tout irait mieux. Cette fantaisie lui permettait donc d'exercer un certain contrôle sur les circonstances: une fois mince, elle serait capable de mieux se débrouiller au travail comme dans ses relations amoureuses avec les hommes.

Dans le cas de Barbara, l'obésité avait deux fonctions distinctes et, d'une certaine façon, contradictoires: d'abord, elle lui donnait un moyen de prouver sa compétence professionnelle et, deuxièmement, de justifier ses échecs professionnel ou amoureux. Une fois que la thérapie lui a permis de prendre conscience de ces deux fonctions de son obésité, Barbara a pu constater que devenir grosse était sa façon personnelle de s'adapter et d'essayer de surmonter une situation très difficile. Non seulement elle a pu prendre conscience du conflit qui l'agitait, mais cela lui a permis de comprendre le dilemme d'une jeune femme professionnelle d'aujourd'hui: comme beaucoup d'autres, elle avait l'impression de ne pas avoir d'autre choix que de nier les problèmes ou de les résoudre en ne comptant que sur elle-même. Plusieurs femmes du groupe se sont identifiées aux difficultés de Barbara et, en partageant leurs expériences, elles se sont senties moins seules et elles ont surmonté ces sentiments d'impuissance qui étaient partiellement responsables de leur obésité.

Les notions de réussite et d'échec ont énormément d'importance dans notre société. Très tôt, on nous inculque l'idée qu'il y a une limite à ce que nous pouvons espérer et nous apprenons à rivaliser pour obtenir ce qui est à notre portée. Si nous gagnons, nous sommes récompensées et si nous échouons, notre lot est la souffrance. Quand nous sommes très jeunes, il est difficile de voir que les dés sont pipés et de discerner au profit de qui; la compétition semble équitable, les succès et les échecs paraissent relever de la valeur ou de la faiblesse individuelles. En vieillissant, nous pouvons examiner de plus près les règles du jeu ou même le "partage du gâteau", qu'il s'agisse du nombre de "A" possible dans une classe ou de la division du travail. Mais les idées que nous avons assimilées et intégrées à notre personnalité sont beaucoup plus difficiles à abandonner parce qu'elles sont profondément ancrées en nous. Même si nous rejetons peut-être la notion de compétition pour ses effets dévastateurs, tant sur le plan des relations humaines que sur le plan politique, il est bien possible que sans le savoir nous ayons nous-mêmes l'esprit de compétition. La rivalité apparaît dans des périodes de crise où il n'y en a pas assez pour tout le monde ou encore où seules quelques personnes pourront réussir. La peur d'une éventuelle exclusion peut susciter soit un désir de lutter individuellement pour obtenir une part des maigres ressources disponibles, soit la volonté de trouver le moyen d'affronter collectivement la pénurie. Mais il existe une autre possibilité: se retirer de la compétition. En général, notre éducation nous incite à rivaliser avec les autres; à l'école, on nous évalue en fonction de nos notes, du groupe auquel nous appartenons ou de notre rang dans la classe. Mais garçons et filles, hommes et femmes, n'apprennent pas à réagir de la même façon à la crise et à la compétition. Le cliché qui dit "laisse le garçon gagner au tennis" en est un bon exemple. Nous apprenons, que dans un jeu impliquant les deux sexes, s'il doit y avoir un perdant, nous ferions mieux de faire en sorte que ce soit nous. De façon générale, les hommes apprennent à entrer en concurrence avec d'autres hommes pour leur emploi et leur statut social. Dans le monde du travail, les hommes gagnent du prestige en étant meilleurs que d'autres hommes et mesurent leur réussite en la comparant à celle des autres hommes. Bien qu'il y ait des femmes dans le monde du travail, les hommes sont rarement incités à rivaliser avec elles parce qu'ils ont tendance à ne pas prendre au sérieux la présence des femmes sur un terrain qui leur était traditionnellement réservé. De même, on déconseille fortement aux femmes d'entrer en compétition avec les hommes ou entre elles sur le plan professionnel. Les femmes sont poussées à rivaliser les unes avec les autres pour trouver l'homme qui assurera à la gagnante une bonne position sociale. Dans notre société, la réussite d'une femme est encore bien souvent évaluée en fonction du statut social de son mari. Dans cette lutte pour leur survie sociale, les femmes rivalisent essentiellement sur la base de leur attrait sexuel, les autres aspects de leur personnalité n'étant considérés que comme des qualités pouvant leur servir à retenir un homme.

Le mouvement de libération des femmes remet en question ce système de valeur tant pour les hommes que pour les femmes. Cependant, celles d'entre nous qui ont plus de vingt ans ont grandi avec ces idées et ces valeurs et même si celles-ci ont été ébranlées, elles n'en continuent pas moins d'avoir une influence significative sur nos personnalités. Souvent, nous ne soupçonnons pas jusqu'à quel point elles nous façonnent. Quand nous réalisons que nous avons aussi l'esprit de compétition, nous trouvons cela inacceptable et nous essayons de le supprimer, de le cacher ou de l'ignorer.

Pour bien des femmes, il est très difficile d'admettre qu'elles éprouvent toute une gamme de sentiments liés à l'esprit de compétition; souvent, nous essayons de les dissimuler en devenant grosses. La graisse remplit plusieurs fonctions à cet égard.

1. Elle assure à ces sentiments un espace et une couche protectrice. Sans sa graisse, la femme pourrait redouter inconsciemment que ses sentiments soient mis à nus. Il n'y aurait aucune difficulté à être mince si l'esprit de compétition disparaissait purement et simplement, faute d'espace où se dissimuler. Mais, les problèmes qu'il suscite ne disparaissent jamais ainsi; ou ils sont activement refoulés et réapparaissent sous une autre forme, ou ils deviennent exagérément évidents, ou encore, ils deviennent conscients et on peut alors travailler à les modifier.

2. L'impression d'être démesurément grosse, plus grosse que la vie, élimine toute possibilité de compétition puisque tout le monde sait que les grosses femmes n'ont aucune chance de gagner, que dès le départ elles ne sont pas de la course.

3. L'acte même de manger compulsivement — qui est la voie la plus courante menant à l'obésité — peut être une tentative de faire taire l'esprit de compétition qui s'agite en soi. Ici encore, nous voyons la fonction dualiste de l'alimentation compulsive: endormir le sentiment difficile à affronter et détourner l'énergie sous-jacente à l'angoisse (créée ici par l'esprit de compétition) vers un motif d'inquiétude plus familier: son poids excessif.

Dans d'autres cas, l'alimentation compulsive peut s'avérer utile aux femmes qui ont peur d'afficher certaines émotions. Les femmes redoutent certains sentiments, comme la colère, parce qu'ils sont considérés comme non féminins et que plusieurs d'entre elles ont été blessées lorsqu'elles les ont exprimés.

La préparation à une vie d'inégalités entraîne inévitablement l'apparition de plusieurs de ces sentiments turbulents, et par conséquent inacceptables chez les femmes. En plus des difficultés inhérentes à cette compétition où les femmes sont censées perdre sur tous les plans sauf sur le plan sexuel, où elles doivent réussir à séduire un homme pour devenir des adultes, d'autres sentiments engendrés par les situations sociales auxquelles elles sont sans cesse confrontées peuvent être ravalés par le biais de l'alimentation compulsive.

La colère est une émotion particulièrement difficile à accepter pour les femmes. Jennifer est une enseignante londonienne de quarante-huit ans. Elle est mariée et elle a deux fils âgés respectivement de dix-huit et vingt ans. Admirée pour ses compétences professionnelles et reconnue pour la valeur de son travail au sein de la collectivité, elle a un problème d'alimentation compulsive depuis son mariage. Jennifer était orpheline et elle a été élevée dans plusieurs foyers d'accueil où elle ne s'est jamais vraiment sentie aimée ou en sécurité. À dix-huit ans, elle a bénéficié d'une bourse d'études et elle a quitté définitivement son dernier foyer d'accueil. Dès lors, elle est devenue vraiment autonome et personne ne pouvait plus prétendre prendre soin d'elle. Elle se sentait relativement forte et capable de se débrouiller: elle se souvient d'avoir ressenti alors un immense soulagement à l'idée de ne plus avoir à faire semblant d'être reconnaissante de la moindre petite attention qu'on daignait lui accorder. Elle a par la suite cohabité avec d'autres jeunes femmes et elle leur enviait leur vie familiale. À vingt-cinq ans, elle épousa Doug, un dessinateur, et, pour la première fois de sa vie, elle s'est retrouvée dans un environnement familial stable. Elle décida de continuer à travailler pendant une couple d'années pour assurer leur sécurité matérielle. C'est à ce moment que Jennifer s'aperçut qu'elle était de plus en plus préoccupée par son alimentation et que son poids fluctuait de façon importante. Jennifer, tout en sachant que les gains ou les pertes de poids sont souvent le reflet de problèmes d'ordre psychologique, n'arrivait pas à mettre le doigt sur ce qui lui arrivait. Après tout, pour la première fois, sa vie avait enfin un sens et elle jouissait d'une sécurité qu'elle n'avait jamais crue possible jusque-là. Ses deux grossesses se déroulèrent relativement bien. Elle quitta son emploi pour une période de quatre ans, puis suivit des cours de perfectionnement avant de reprendre un emploi à plein temps. Le fait d'habiter pendant vingt ans dans le même quartier avec sa famille avait permis à Jennifer de nouer de solides amitiés et, pour reprendre son expression, d'acquérir "un véritable esprit communautaire". Elle continuait pourtant à manger d'une manière qu'elle trouvait plutôt désagréable, tantôt comme un oiseau tantôt comme un ogre. La seule explication qu'elle pouvait trouver à ce comportement était de le considérer comme le résultat des carences de son enfance: elle se disait qu'elle reproduisait un vieux schéma en s'occupant d'elle-même de façon aussi incohérente que les autres l'avaient fait lorsqu'elle était petite. Cette analyse, bien qu'elle lui procurât un certain soulagement, ne réglait pas son problème. Pendant la thérapie, Jennifer a fait l'exercice consistant à s'imaginer tour à tour grosse et mince; dans son fantasme, elle était en compagnie de ses parents nourriciers. Lorsqu'on lui a demandé ce que son obésité signifiait pour ses nombreux parents nourriciers, Jennifer a été soudainement envahie par une énorme colère. Elle a constaté que son obésité exprimait toutes les émotions venimeuses, tous les sentiments fielleux qu'elle avait accumulés pendant toutes ces années où elle avait été ballottée d'un foyer à un autre. Elle avait l'impression que si sa graisse avait eu une voix, elle aurait hurlé sa haine et sa colère à la face de tous ces gens qui, soi-disant, s'étaient occupés d'elle. Son obésité lui permettait de maîtriser tous ces sentiments mais, pour Jennifer, c'était aussi un réquisitoire contre la négligence dont elle avait été victime. En approfondissant la question, Jennifer nous déclara que si elle était mince, personne ne saurait jamais à quel point elle avait souffert et on tiendrait pour acquis que tout pouvait être facile pour elle, comme pour n'importe qui d'autre. Prendre conscience de cette colère refoulée donnait un sens à sa compulsion alimentaire. À partir de ce moment, elle a commencé à remarquer que dès qu'elle se sentait en colère, contre ses enfants ou son mari ou encore à l'école, elle se précipitait sur la nourriture pour "ravaler" ses émotions. Ressentir de la colère équivalait pour elle à se mettre en danger — dès qu'elle ressentait ce sentiment, elle entendait une bande sonore dans sa tête: "Les gentilles petites filles ne se fâchent pas. Sois reconnaissante sinon on te mettra à la porte." Elle avait assimilé dès son plus jeune âge ce message: exprimer de la colère ou de la déception dans un foyer d'accueil était inacceptable et entraînait non seulement son exclusion du sexe féminin mais aussi la peur du rejet et de l'abandon. Si elle se fâchait contre ses parents nourriciers, on la renverrait. Découvrir les racines de sa compulsion alimentaire facilita les choses pour Jennifer. Elle commença à se permettre de vivre directement sa colère et à prendre le risque de l'exprimer plutôt que de la ravaler en mangeant. Elle prit également conscience de son angoisse et de son insécurité à l'intérieur de sa propre famille en constatant qu'elle n'osait pas exprimer son mécontentement de peur d'être mise à la porte. Sur bien des plans, elle se sentait relativement en sécurité avec Doug et c'était précisément cette sécurité qui avait permis à cette rage refoulée de remonter à la surface, quoique indirectement. Jennifer était coincée dans une période de transition. Enfant, elle devait se résigner et se taire. Elle ne devait afficher ni révolte ni colère. Une fois en mesure de quitter ces foyers déplorables et de créer sa propre famille, elle s'est sentie plus en sécurité et a eu davantage l'impression d'avoir le contrôle de sa vie mais elle traînait toujours l'insécurité à son enfance, ce qui était compréhensible. Bien qu'une relation sécurisante avec Doug et ses enfants ainsi qu'une vie professionnelle stable lui aient permis de rejeter son enfance épouvantable, elle était incapable de faire cette rupture ouvertement; elle le faisait donc en mangeant de façon compulsive.

Dans le cas de Jennifer, l'obésité était une réaction tardive à une série de situations familiales précaires et d'extrême détresse. Ce n'est que lorsqu'elle a eu son propre foyer qu'elle s'est mise à manger de façon déséquilibrée et à devenir une "femme-accordéon". Ce schéma de comportement, où la nourriture devient une obsession alors que les événements perturbateurs sont passés, est assez courant. Il semble que cela s'explique par un mécanisme psychologique qui, chez certaines personnes, fonctionne de la façon suivante: la petite fille grandit dans un environnement difficile mais doit demeurer aussi intacte que possible pour y survivre. Tout signe de dépression ou de faiblesse ne ferait que prolonger son emprisonnement et rendre l'évasion plus difficile. Elle met toute son énergie à supporter des situations intenables et à préparer son départ. Finalement, elle parvient à quitter cet environnement et à se sentir un peu plus en sécurité; mais, à mesure qu'elle se détend et qu'elle laisse peu à peu tomber ses défenses, toutes les émotions refoulées dans le passé peuvent enfin remonter à la surface. Il ne suffit pas d'échapper à une situation douloureuse pour se débarrasser de tous les sentiments qui y sont liés. Le sentiment de sécurité engendré par la nouvelle situation déclenche un processus de désintoxication. Mais, comme ces sentiments sont très puissants, et souvent extrêmement douloureux, l'individu risque de réagir en essayant de continuer à les écarter. C'est ce qui se passe lorsque, à ce moment, une femme commence à manger compulsivement: les émotions qui émergent lui semblent si menaçantes qu'elle se tourne vers l'alimentation compulsive pour les "anesthésier" et les enfouir sous une couche de graisse. Au lieu d'être exprimées et clarifiées, les émotions sont transformées en symptômes qui doivent ensuite être décodés pour disparaître.

Je voudrais maintenant que nous examinions pourquoi les femmes ont autant de difficulté à exprimer leur colère. Dans le cas de Jennifer, cela s'explique par une menace explicite d'expulsion si elle osait se révolter contre le traitement qu'on lui réservait; mais, de façon générale, on décourage activement les femmes d'exprimer leur colère, leur rage, leur ressentiment et leur hostilité. On nous a appris à ne pas protester et à accepter ce qu'on nous donne sans nous plaindre. On nous a enseigné que les petites filles étaient douces et gentilles et mignonnes et ainsi de suite. Alors nous essayons du mieux que nous pouvons de ne pas montrer notre colère et même de ne pas la ressentir. Quand nous nous rebellons et que nous montrons notre mécontentement, on nous dit que nous sommes méchantes et égoïstes. Que nous nous en apercevions ou non, on nous apprend à accepter en silence à devenir des citoyennes de deuxième classe et ce statut d'infériorité est encore renforcé par le fait qu'on nous nie le droit à la colère. La révolte permet aux gens de lutter contre l'injustice, à quelque niveau que ce soit — qu'il s'agisse de la colère de l'enfant contre un parent qui le punit injustement ou de la colère collective de femmes qui luttent pour qu'on leur rende leurs garderies.

Mais nous avons peu d'exemples de colères féminines justifiées dont nous pourrions nous inspirer. Je crois que la plupart d'entre nous sont assez effrayées par la vue, si peu familière, d'une femme en colère. Cette émotion n'a aucune légitimité culturelle pour les femmes. On incite les petites filles à pleurer au lieu de protester lorsqu'elles n'ont pas ce qu'elles veulent; ainsi on pourra les consoler. Dans *Qui a peur de Virginia Woolf?*, la pièce d'Edward Albee, Martha, l'épouse en colère qui proteste contre son sort, est décrite comme une garce et une mégère. Une bonne partie de la culture populaire témoigne de cette connotation négative que nous donnons à la colère féminine. Il n'est donc pas étonnant de découvrir que, pour beaucoup de femmes, la motivation inconsciente qui se cache derrière un gain de poids est le désir d'échapper à la colère. Leur obésité est une façon symbolique de protester et de dire: "Merde!"

Derrière la suppression de la colère, on trouve l'un des thèmes les plus importants pour les femmes d'aujourd'hui. Prendre du poids pour exprimer sa colère, être capable de dire "merde" n'est qu'une partie du problème. Exprimer sa colère est une façon de s'affirmer et les femmes ont du mal à s'affirmer. Ces quelques anecdotes nous le montrent.

Ann est extrêmement fatiguée après une longue journée de travail et elle prévoit passer la soirée seule à se reposer, à regarder la télévision et à lire. Son voisin Jack lui téléphone et lui demande si cela la dérangerait de lui rendre service en gardant les enfants pendant une heure, le temps de faire quelques courses avec sa femme. Ann se sent obligée d'accepter même si elle sait par expérience que l'heure s'étirera indûment et qu'elle perdra sa soirée. Malgré tout, elle se rend chez ses voisins. Ceux-ci reviennent vers minuit: après leur magasinage, ils ont été au cinéma. Ann est très en colère mais elle s'en veut surtout d'avoir accepté de garder les enfants sans poser d'abord ses conditions. Elle retourne chez elle sans dire un mot et mange.

Bill et Rose doivent aller voir un film ensemble dans la soirée. Bill téléphone à Rose du bureau pour lui demander si cela ne l'ennuie pas qu'il amène quelques amis à la maison pour le souper. Rose, qui avait déjà commencé à préparer le repas, considère cette invitation comme un fait accompli et accepte à contrecoeur, parce qu'elle a l'impression qu'elle n'a pas le droit de refuser. Elle retourne à la cuisine et s'agite autour des chaudrons, très troublée. Elle présume que Bill a oublié qu'il lui avait promis qu'ils iraient au cinéma et elle se sent rejetée. Elle prépare le repas avec l'impression d'être exploitée tout en se sentant coupable de ne pas être plus généreuse et d'être aussi peu spontanée. Elle grignote sans cesse tout en cuisinant et quand Bill et ses amis s'assoient à table, elle se gave de nourriture, pestant contre son incapacité à s'affirmer au bon moment.

Dans ces deux exemples, Ann et Rose ne sentaient pas qu'elles avaient le droit d'exprimer ce qu'elles voulaient réellement. Ann a peur de mettre des limites à son altruisme et Rose de se défendre en disant qu'elle veut aller au cinéma. Toutes deux s'en veulent de ne pas s'être affirmées et se sentent en même temps égoïstes d'avoir ne serait-ce que songé à faire passer leurs désirs avant ceux des autres. Toutes deux mangent pour ravaler leurs sentiments négatifs et concentrent ensuite ces émotions désagréables sur la nourriture plutôt que de faire face à la difficulté qu'elles ont à s'affirmer. *Il est plus sécurisant pour elles d'utiliser leur bouche pour manger que de s'en servir pour parler et affirmer leurs désirs. Elles s'imaginent que leur obésité parle pour elles quand la souffrance empêche les mots de franchir leurs lèvres.* Rien de tout cela n'est conscient et ce comportement naît d'une relation mère/fille où la mère incite sa petite fille à adopter un comportement "agréable". La mère prépare sa fille à une existence où les décisions majeures seront prises par d'autres qu'elle-même. *La petite fille apprend à accepter que ses besoins passent après ceux des autres et à se dire qu'il est plus sûr de se taire que de s'affirmer.* Par conséquent, les femmes sont plongées dans la peur et la confusion lorsqu'elles doivent agir en se fiant à ce qu'elles ressentent. Si elles le faisaient trop souvent, elles auraient l'air agressives et *ce mot* a des connotations à ce point négatives pour les femmes qu'il leur semble moins dangereux d'acquiescer en silence. Elles ne connaissent pas les frontières entre la passivité, l'affirmation de soi et l'agressivité. La popularité incroyable qu'ont connue récemment les cours et les livres traitant de l'affirmation de soi témoigne de l'ampleur de ce problème. *Les femmes, qui se sont risquées à rompre avec la tradition, ont été accusées d'être dominatrices et castratrices lorsqu'elles ont tenté de revendiquer leurs droits.*

D'autres problèmes viennent compliquer celui-ci. Pour celle qui n'a pas l'habitude de s'affirmer, il est très difficile de décider ce qu'elle donnera ou ne donnera pas aux autres. Les femmes apprennent à nourrir le monde, au propre et au figuré. Comme le disait la psychanalyste Mercy Heatley, les femmes sont "le ferment" de la famille et, comme telles, sont constamment en train de se consacrer aux autres sur le plan affectif. Dans des discussions sur ce que symbolisent pour elles l'obésité et la nourriture, de nombreuses femmes la présentent comme le "combustible dans la fournaise", comme la réserve privée sur laquelle elles peuvent compter lorsqu'elles ont besoin de se ressourcer pour continuer à "nourrir" les autres. Toutefois, pour d'autres femmes, l'obésité signifie précisément le refus d'offrir ce type de service: dans leur esprit, l'excès de poids est un message avertissant les autres de se tenir à distance et de ne rien exiger: "Ne voyez-vous pas que je suis trop débordée pour m'occuper de qui que ce soit?" Pour d'autres, l'obésité est une affirmation qui recouvre tous ces sentiments, l'expression d'un désir informe à la fois d'absorber et de repousser les exigences extérieures. Pour elles, la graisse représente à la fois une tentative de se distancer des autres et, en même temps, d'envelopper tout ce qui les entoure, comme si elles pouvaient assumer les besoins de tous et de chacun sans se laisser envahir, leur graisse agissant comme "amortisseur de chocs" pour les autres et comme "coussin protecteur" pour elles-mêmes.

Comme je le mentionnais en parlant des réactions déclenchées par cet exercice où les femmes s'imaginent tantôt énormes et tantôt minces, le principal avantage que trouvent les femmes à être grosses est de se sentir en sécurité sur le plan sexuel. Tout se passe comme si, par le biais d'une couche protectrice de graisse, les femmes disaient qu'elles doivent nier leur sexualité pour être considérées comme des personnes à part entière. *Afficher leur sexualité signifie que les autres leur refuseront le statut d'être humain.* Au cours de l'adolescence, les filles sont censées transformer par magie leur intérêt amical pour les garçons en intérêt sexuel; c'est à ce moment qu'elles apprennent à observer ce rituel qu'on appelle "fréquentations". Cette transition soudaine peut s'avérer redoutable et difficile à effectuer. Mary, une femme médecin de trente-sept ans, raconte: "Quand j'avais six ou sept ans, les garçons et les filles jouaient ensemble. Puis, nous avons été séparés et jusqu'à l'âge de onze ans, mes contacts avec les garçons ont été plutôt rares, d'autant plus que, pendant cette période, je fréquentais une école réservée aux filles. À l'âge de douze ans, je me suis retrouvée dans une école mixte et j'ai cherché à jouer de nouveau avec les garçons. Leurs jeux semblaient plus excitants et j'enviais leur esprit aventureux. Toutefois, quelque chose de bizarre semblait se produire: au lieu de nous amuser avec eux, nous étions censées nous faire très jolies et collectionner les rendez-vous: c'était là le moyen de continuer à voir les garçons. Mais, à cela, s'ajoutaient toutes sortes de codes et de règles sur les baisers et les "attouchements" — et il semblait que pour continuer à jouer avec les garçons, je devais m'y soumettre. Je trouvais tout cela plutôt déconcertant, non pas parce que je n'aimais pas les baisers, au contraire, mais parce que j'avais l'impression que, brusquement, les garçons et les filles étaient devenus très différents et que nos relations s'organisaient de façon très rigide. C'était vraiment troublant pour nous toutes et, à partir de là, les choses continuèrent à empirer. On nous a séparés pour les activités sportives et nous avons hérité de l'honneur d'être meneuses de claque. Je me suis dit que si c'était cela devenir adulte, il valait mieux garder les rondeurs de l'enfance, rester joufflue et éviter ainsi toute cette histoire de rendez-vous idiots."

Pendant quinze ans, Mary est donc restée "un peu trop grosse", comme elle dit. Au cours de la thérapie, elle a remarqué que ses fringales survenaient presque toujours quand elle se trouvait dans des situations ayant potentiellement un aspect sexuel. Elle s'empiffrait, par exemple, juste avant d'aller à une soirée et se persuadait ensuite qu'elle était trop grosse pour être attirante sur le plan sexuel. Cela lui donnait une sorte d'assurance avec les gens qu'elle rencontrait, hommes et femmes, et lui permettait d'établir des relations sur ses propres bases plutôt que sur la seule base de la valeur marchande de son corps. L'exemple de Mary montre très clairement comment l'obésité peut être perçue comme moyen d'échapper à la sexualisation et donc d'éviter la compétition sur le plan des relations humaines.

Cette division sexuelle entraîne toute une gamme de conséquences. De nombreuses femmes ont le sentiment qu'être grosse est un moyen de sortir de la foule et de la banalité, de se faire remarquer et d'être différentes sans avoir à investir autant que le font, selon elles, les femmes minces et attirantes.

Plusieurs femmes ont mentionné au cours de la thérapie que leurs parents avaient été déçus d'avoir une fille. Rita se souvient d'avoir mangé avec toute l'énergie dont elle était capable pour devenir grosse et prouver qu'elle existait bel et bien. Ce qui est frappant, dans son cas, c'est qu'elle a cessé de grignoter lors de sa première grossesse: la vie qu'elle sentait en elle lui semblait une preuve suffisante de son droit d'exister. En devenant mère, elle avait un véritable rôle à jouer, même si elle ne s'était pas sentie désirée pendant son enfance.

Ces diverses explications sur le sens de l'obésité, du mécanisme de défense à l'expression de la colère, ne donneront pas nécessairement la clé du problème à quiconque a l'impression d'en souffrir. Comme le syndrome de l'alimentation compulsive et des régimes compulsifs, des pertes et des gains de poids successifs, est tellement développé et, en un sens, tellement préoccupant et absorbant en soi, il peut s'avérer difficile de comprendre exactement son rôle dans sa propre vie. D'une certaine manière, l'alimentation compulsive vous isole dans un monde merveilleusement clos. Vous pensez sans cesse qu'il est épouvantable de manger autant et cette obsession vous amène à vous mépriser: ce sentiment de dégoût n'a aucun exutoire et il est donc rapidement ravalé ou engourdi par d'autres nourritures ou encore supprimé par un fantasme de "réincarnation": vous vous préparez à suivre un nouveau régime. Le sentiment négatif est détourné et ne s'exprime que par d'éternelles plaintes autodépréciatrices sur votre poids excessif et vos mauvaises habitudes alimentaires; l'obésité vous fournit un motif d'inquiétude moins menaçant que d'autres problèmes éventuels. Il se peut aussi que votre obésité n'ait plus le même sens pour vous aujourd'hui que celui qu'elle avait à l'origine. En d'autres termes, les forces et les raisons initiales qui vous ont poussée à devenir grosse peuvent être assez éloignées de celles qui vous font rester obèse aujourd'hui. Souvent, il s'avère donc utile de remonter dans le temps pour voir comment l'obésité a aidé les gens à certains moments de leur vie. Dans les groupes, pour retracer cette information, nous faisons l'historique de l'obésité de chaque femme, ce qui nous permet de préciser à quel moment le "problème" a surgi. J'aimerais illustrer ce que je viens de dire par quelques cas de femmes avec qui j'ai travaillé. Certaines des causes initiales de l'obésité de ces femmes relèvent clairement d'une analyse féministe alors que pour d'autres, le lien est moins explicite; mais dans chacun de ces exemples, on verra de façon évidente ce qu'a signifié l'élaboration d'une personnalité "féminine" dans la vie de ces femmes.

Réa était fille unique. Ses parents attendaient énormément d'elle et, en particulier, la réussite académique, la reconnaissance sociale et la beauté. Elle se sentait étouffée par ces exigences; ses parents voulaient qu'elle soit une enfant parfaite et heureuse et elle avait l'impression que cela ne lui laissait pas beaucoup d'espace pour développer son autonomie. C'est à l'adolescence qu'elle a commencé à prendre du poids, et c'est donc de cette période qu'il a été question au cours de sa thérapie. Elle était alors au début de la vingtaine. L'obésité de Réa a pris un sens en réaction aux pressions intenses exercées par ses parents pour qu'elle réussisse en tout. L'adolescente qu'elle était ne se voyait pas sous le même jour que ses parents. Elle ne se sentait pas à la hauteur de leurs espoirs. Elles avait l'impression d'être une mauvaise fille, égoïste et ingrate qui avait été incapable de répondre aux exigences de ses parents et qui le serait de plus en plus. Son obésité exprimait à la fois son ressentiment contre ces exigences de perfection et son besoin de cacher et de contenir cette mauvaise fille qu'elle croyait être en réalité. Elle redoutait de devenir mince parce qu'elle aurait alors eu le sentiment d'être tout ce que ses parents voulaient qu'elle soit; elle serait conforme à leurs désirs et privée de toute personnalité propre.

Jane, une secrétaire juridique de cinquante-cinq ans, avait commencé à grossir après la mort de sa mère. Jusqu'à trente-cinq ans, elle avait été assez mince et plutôt à l'aise dans sa peau. Fille unique son père était décédé lorsqu'elle était encore adolescente, elle était très proche de sa mère. Elle s'était mariée à vingt-deux ans mais, peu de temps après, pendant la deuxième guerre mondiale, son mari Tom avait été envoyé outre-mer comme soldat. Sa petite fille Carol avait dix-huit mois lorsque Tom est finalement revenu de la guerre. Environ un an plus tard, la mère de Jane est morte d'un cancer: au cours de l'année et demie qui avait précédé son décès, elle avait énormément maigri, au point de devenir décharnée. Après l'enterrement de sa mère, Jane commença à prendre du poids. À vingt-sept ans, elle pesait environ quinze kilos de plus que son poids habituel qui n'avait varié qu'au moment de sa grossesse. Ce gain de poids la déconcertait et, au début, elle l'attribua à un manque d'exercice après la naissance de Carol. Des amies lui suggérèrent qu'elle avait peut-être aimé sa grossesse au point de grossir pour continuer à paraître enceinte mais cette explication ne lui semblait pas très convaincante parce que cette période n'avait pas été facile pour elle. Un ami psychiatre émit l'hypothèse qu'elle désirait paraître enceinte pour obtenir l'attention et le dévouement de Tom qui, selon lui, devait lui avoir manqué au moment de sa grossesse réelle. Mais ces explications ne réglaient rien. Jane restait trop grosse et lorsque la mode et les critères de santé firent de la minceur un impératif, elle commença à faire le tour des régimes et des médecins spécialistes des cures d'amaigrissement. Apparemment, la vie familiale de Jane était plutôt satisfaisante, elle et Tom s'aimaient énormément, et Carol, leur enfant unique, resta toujours proche d'eux, même après son départ de la maison. Cependant, Tom racontait que, presque toutes les nuits, Jane réclamait sa mère en pleurant dans son sommeil. En cours de thérapie, nous avons longuement discuté de ce que nous avait rapporté Tom. Jane commença à comprendre que son gain de poids était étroitement associé à la perte de sa mère. Elle raconta: "Ma mère est morte tragiquement d'un cancer après une longue agonie où elle était devenue très maigre. Depuis, j'ai eu besoin de me sentir grosse. J'ai l'impression que j'avais peur de disparaître ou de mourir comme elle si je devenais mince." Le fait de regarder en face la mort de sa mère et sa propre peur de mourir si elle maigrissait a permis à Jane de trouver le poids qui la faisait se sentir à l'aise, tant physiquement que psychologiquement. Finalement, Jane s'aperçut qu'elle ne souhaitait plus être aussi mince qu'elle avait cru devoir l'être,et son poids se stabilisa lorsqu'elle eut perdu environ sept kilos.

La mort a également été un facteur dans l'obésité d'autres femmes avec qui j'ai travaillé. Sheila, une universitaire de vingt-huit ans, a perdu son frère aîné, Ivan, âgé de vingt ans lorsqu'elle-même n'en avait que dix. C'est à ce moment qu'elle a commencé à grossir et, en cours de thérapie, nous avons découvert que son obésité avait deux significations symboliques distinctes. Sheila avait l'impression que son embonpoint lui permettait de transporter son frère avec elle. Elle s'est souvenue qu'elle aimait beaucoup sa compagnie et qu'elle jouait très souvent avec lui. Ivan faisait la joie et l'orgueil de sa famille et, comme il était l'aîné et de sexe masculin, on s'attendait à ce qu'il satisfasse les ambitions de ses parents. Environ deux ans après sa mort, ceux-ci ont eu une autre enfant, Maureen. Sheila s'était sentie investie de l'énorme responsabilité d'être à la fois une petite mère pour Maureen et un fils pour ses parents. Pour elle, être un fils et être une fille signifiaient deux choses distinctes. Être un fils exigeait qu'elle excelle dans les sports, réussisse sur les plans académique et professionnel pour que ses parents soient fiers d'elle. Comme fille, elle devait se débrouiller décemment à l'école mais sa vie professionnelle devenait secondaire par rapport à la réussite de sa vie amoureuse. Pendant son adolescence, Sheila accompagnait son père à des matchs sportifs. Elle aimait qu'on la considère comme un garçon et à partir de l'adolescence, elle noua une relation beaucoup plus étroite avec son père. En cours de thérapie, elle constata qu'elle ressentait un sentiment de culpabilité pour avoir bénéficié d'autant d'attentions de la part de son père; elle se disait que si son frère avait vécu, les choses se seraient passées autrement. Elle avait l'impression qu'au niveau symbolique, la deuxième fonction de son obésité était de camoufler les courbes de son corps, de le rendre moins féminin pour ressembler davantage à un garçon. Lorsque, avec le temps, elle eut perdu du poids, elle conserva ce désir d'avoir l'air masculine et maudit ses hanches et ses seins qui l'empêchaient d'avoir le corps androgyne qu'elle souhaitait avoir.

Sheila a essayé de concilier l'image du fils adolescent et celle d'une petite mère. Beaucoup de petites filles tentent d'endosser ainsi un rôle maternel et, parfois, de façon encore plus précoce que Sheila. On attend souvent d'une fillette de six ou sept ans qu'elle aide ou même remplace sa mère auprès des plus jeunes.

Mélinda, la fille aînée d'une famille de sept enfants, se souvient de sa tendre enfance comme d'une époque bénie où elle pouvait jouer tranquillement avec son frère aîné. Lorsqu'elle a eu sept ans, sa mère a donné naissance à un autre bébé. Mélinda a eu l'impression que cela mettait fin à son enfance; non seulement devait-elle maintenant partager l'affection de sa mère avec un autre enfant,mais on s'attendait à ce qu'elle s'acquitte de plusieurs tâches d'adulte, ce qu'elle fit. Et, à mesure que d'autres bébés naissaient, Mélinda devenait une seconde mère pour eux de sorte que, à dix-huit ans, lorsqu'elle quitta la maison, elle avait acquis toute l'expérience et la compétence pour créer sa propre famille. Mais au lieu de le faire, elle s'est mise à grossir; elle nous a expliqué que si elle réussissait à avoir l'air d'une énorme "mama", personne ne penserait qu'elle pouvait en devenir une dans la réalité. Elle avait fait sa part et, pour l'instant, elle n'aspirait qu'à la tranquillité!

Un apprentissage aussi précoce du rôle maternel amène plusieurs femmes à montrer à leurs filles à se priver et à nier leurs propres besoins. Florence et sa fille Laura avaient toutes deux un problème de compulsion alimentaire. Florence avait comme principe que manger des friandises était non seulement une faiblesse, mais une faiblesse dégoûtante et méprisable. Elle pensait que presque toutes les formes de plaisirs étaient indécentes et, en particulier, les plaisirs physiques. La nourriture et la sexualité semblaient attirantes et excitantes, mais il fallait les tenir soigneusement à distance. À longueur d'année, Florence mangeait avec frugalité et se privait constamment; lorsqu'elle mangeait avec excès pendant les vacances, elle se précipitait à la clinique Mayo dès son retour pour perdre les kilos superflus. Malgré sa volonté de fer et son immense contrôle de soi, elle avait terriblement peur de la nourriture. Son mari cachait ses bonbons dans le compartiment à gants de sa voiture. Florence considérait sa passion pour les sucreries comme une preuve de sa faiblesse de caractère. Laura s'est révoltée contre ce code fondé sur la négation de soi. Elle méprisait la mesquinerie qu'affichait sa mère vis-à-vis d'elle-même et percevait Florence comme une obsédée de la minceur qui ne s'accordait aucun plaisir ni par la nourriture ni par la sexualité. Laura décida d'adopter l'attitude contraire en essayant de tirer du plaisir tant de la nourriture que de la sexualité. Mais comme ces plaisirs devaient demeurer clandestins — elle redoutait sans cesse une intrusion de sa mère —, elle ne parvenait pas à se maîtriser comme elle l'aurait voulu, et sa façon de manger exprimait ces tensions. Avec le groupe, Laura a appris à manger pour elle-même et pour son propre plaisir, sans devenir grosse pour autant, comme pour se prouver que sa mère avait raison. Elle a compris qu'elle n'avait pas à subir le rejet que lui valait son obésité pour s'accorder du plaisir.

À cause de leur rôle dans la famille, les mères nient aussi leurs besoins dans les situations où il n'y en a pas assez pour tout le monde; en cas de pénurie, elles verront à ce que leur mari et leurs enfants en souffrent le moins possible. Si la mère ne parvient pas à mettre suffisamment de nourriture sur la table, elle a l'impression d'être une ratée. Lorsque les prix augmentent, la mère, qui a un revenu fixe, a de moins en moins d'argent à dépenser pour combler les besoins de la famille et, même si cela est vrai pour toutes les ménagères, elle affronte seule la famille qui exprime sa déception et son mécontentement devant la piètre nourriture qu'elle a à leur offrir. Pendant la crise des années trente, la situation était particulièrement pénible; l'argent était extrêmement rare et il n'y avait jamais assez de nourriture sur la table. Les mères de cette époque se souviennent que souvent elles se privaient de manger pour que les autres membres de la famille aient des rations plus abondantes; elles pouvaient toujours s'en passer, après tout, *elles* n'allaient pas à l'école et ne sortaient pas tous les jours pour essayer de trouver du travail. Selon elles, la simple justice exigeait donc qu'elles se privent davantage.

Caroline a connu la crise et est devenue obèse par la suite. Voici ce qu'elle nous a raconté: "J'étais jeune pendant la crise. Ma mère se privait pour essayer de nous donner assez de nourriture, à nous les enfants. Mais il n'y en avait jamais assez. Puis, je me suis mariée et, pour la première fois de ma vie, je ne manquais plus de nourriture. Je crois que je mange pour me défendre contre cette horrible sensation de faim que j'ai ressentie pendant toute mon enfance.

Rose, la fille de Caroline, née à la fin de la deuxième guerre mondiale, se souvient de batailles homériques avec sa mère qui avait toujours peur qu'elle ne mange pas assez, de toutes ces bouchées qu'elle devait manger pour les pauvres enfants qui mouraient de faim dans le monde, sans jamais comprendre en quoi manger davantage pouvait les aider.

Rose est restée assez mince jusqu'à l'âge de dix-sept ans, lorsqu'elle a quitté la maison pour voyager en Europe. À son retour, ses parents l'ont félicitée d'avoir grossi. Rose, elle, ne s'en réjouissait pas, au contraire: elle avait l'impression de leur ressembler beaucoup trop. Pendant les douze années qui suivirent, elle souffrit du syndrome boulimie-régime. Voici ce qu'elle a découvert en thérapie. Lorsqu'elle habitait chez ses parents, être mince était une façon de se rebeller contre eux: non seulement ils étaient tous deux obèses mais ils l'incitaient constamment à manger davantage. Après son départ de la maison, son gain de poids a traduit ses sentiments contradictoires à l'idée d'avoir quitté ses parents et lui a permis de transporter avec elle une partie de sa vie familiale. L'un des moments les plus cruciaux de sa thérapie a été la fin de sa démarche: Rose avait alors perdu une douzaine de kilos et le poids qu'elle avait atteint convenait bien, selon elle, à sa stature. Mais le fait d'anticiper la fin de la thérapie et de son obésité a forcé Rose à affronter des questions reliées aux luttes qu'elle avait menées dans son enfance pour se séparer de sa mère. Pour Rose, ces batailles au sujet de la nourriture étaient le symbole de ses efforts pour voler de ses propres ailes, pour se définir elle-même et acquérir son indépendance. Une fois consciente de sa volonté d'avoir une identité distincte de celle de sa mère et de sa peur de se séparer d'elle à cause des dangers sociaux et psychologiques que cela semblait impliquer, Rose a pu pour la première fois contrôler en toute sécurité son alimentation. Son corps pouvait maintenant exprimer cette indépendance: elle pouvait en définir elle-même la forme et ce n'était plus "un paquet de graisse molle agglutiné à ma mère".

L'obésité a des significations différentes d'une femme à l'autre. Pour Rose, être grosse signifiait être coincée, capituler devant sa mère, accepter toute cette nourriture dont elle n'avait pas envie; pour Barbara, c'était une tentative de se désexualiser face à ses collègues masculins; pour Harriet, c'était un symbole de force et de consistance; pour Janet, l'expression d'une colère refoulée, et ainsi de suite. Non seulement l'obésité a des significations différentes selon les femmes, mais pour une femme, ces symboles peuvent avoir plus ou moins d'importance à divers moments de sa vie.

Au début de la thérapie d'un groupe de mangeuses compulsives, il se peut qu'une femme ne perçoive son obésité que comme le symbole visible de tout ce qu'elle n'aime pas en elle. Elle pourra alors la décrire comme une manifestation épouvantable de toute la laideur et de l'horreur qu'elle sent à l'intérieur d'elle. L'obésité recouvre et révèle à la fois ce qu'elle perçoit comme sa monstruosité. À mesure que la thérapie avance et que d'autres femmes racontent leur histoire, cette même femme pourra de mieux en mieux dissocier l'obésité de la laideur et explorer en quoi elle a pu lui être utile dans le passé. Elle sera à même de voir que devenir grosse était sa façon d'essayer de prendre soin d'elle-même dans des circonstances difficiles. À mesure qu'elle comprend et accepte mieux cet aspect de son obésité, elle peut utiliser ce réflexe d'autodéfense d'une autre manière. Prendre conscience que devenir grosse était une réponse à sa mère, à la société, à diverses situations lui permet de cesser de se dire que cette obésité était bonne ou mauvaise. *Elle était, tout simplement.* Il est extrêmement difficile et douloureux, sinon impossible, de changer lorsqu'on a une image négative de soi. Comprendre la dynamique qui a entraîné l'obésité peut vous aider à renoncer à la juger. Lorsque vous avez abandonné tout jugement sur votre obésité et que vous pouvez l'accepter pour ce qu'elle était, vous pouvez vous demander si elle vous est encore utile.

Ceux qui travaillent au niveau de l'inconscient doivent expliquer l'existence d'une vie inconsciente qui possède sa propre force et ses propres symboles. Ces symboles doivent ensuite être traduits dans le langage de la vie de tous les jours pour que nous puissions les examiner de près. Puis, comme personnes conscientes, nous devons remettre en question la rationalité et l'irrationalité apparentes de nos peurs et de nos fantasmes, de nos rêves et de nos motivations inconscientes. Jusqu'ici, j'ai demandé à la lectrice de considérer la compulsion alimentaire comme associée au désir inconscient de devenir grosse. J'ai ensuite prétendu que cette motivation devait devenir consciente pour qu'on puisse maigrir de façon permanente. Et, maintenant, j'émets l'hypothèse que la fonction protectrice que l'obésité est censée remplir est illusoire, c'est-à-dire que l'obésité en elle-même ne joue pas le rôle dont on l'investit. En attribuant à l'obésité un rôle protecteur important, la femme s'installe dans une situation où la minceur serait synonyme de vulnérabilité. Ce postulat est effrayant. Notre objectif est d'offrir à la mangeuse compulsive une autre interprétation: les qualités qu'elle associe à son poids sont en fait des caractéristiques qu'elle possède et qu'elle attribue, à tort, à son obésité. En esquissant les diverses facettes du vécu des femmes avec qui j'ai travaillé, j'ai constaté que découvrir la signification de leur obésité les avait amenées à se demander si c'était bien *l'obésité* qui éloignait les gens, qui désexualisait le corps, qui contribuait à contenir la colère (ou la douleur, ou la déception) ou qui leur assurait une certaine consistance. Et si ce n'était pas l'obésité mais la femme, deux questions se posaient:

1. Comment et pourquoi une femme en vient-elle à nier qu'elle a ce pouvoir et à l'attribuer à sa seule obésité?

2. Comment peut-elle se réapproprier ce pouvoir et avoir l'impression qu'il fait partie de son intégrité, de sa personnalité? Cela signifierait qu'en perdant son excès de poids, elle ne perdrait pas pour autant les moyens qui lui ont permis de se débrouiller jusque-là dans la vie.

La première question touche un problème crucial qui découle de la socialisaton des femmes. Systématiquement, on incite les femmes à ne pas assumer la responsabilité de diverses activités, de leurs gestes et même de leurs pensées. Les hommes agissent pour eux et décrivent leur expérience, tandis que, malgré son incroyable richesse, l'expérience féminine n'est que très rarement décrite et reconnue. Ce n'est que dans la littérature que les femmes ont pu faire entendre leur voix et trouver une large audience. Dans les domaines où la plupart des femmes ont assumé d'énormes responsabilités — l'éducation des enfants et le travail ménager — leurs actions ne sont pas perçues comme définies et délimitées parce qu'on les considère comme intrinsèquement liées à leur nature et, par conséquent, inévitables. Si c'est naturel, vous *devez* le faire. Si c'est naturel, cela ne compte pas, cela n'a aucune valeur. Le paradoxe réside dans le fait que plusieurs des femmes dont il a été question dans ce chapitre aient défié ce stéréotype de la féminité. Ces femmes ont délibérément quitté les sphères qui leur était réservées pour aller dans le monde et assumer des responsabilités autres que celles qu'on leur assignait traditionnellement. Mais ces femmes sont coincées par une image de soi qui nie leur pouvoir. Cette dévalorisation de soi semble inexplicable sauf si on considère qu'elle découle d'une société qui nie aux femmes tout pouvoir social et qui le prouve en dépréciant et en punissant celles qui transgressent les rôles sociaux traditionnels. Dans ce contexte, il n'est pas difficile de comprendre qu'une femme ait pu s'identifier à une image conforme au préjugé qui veut que les femmes n'aient aucun pouvoir. Ainsi, elle intériorise l'idée que ce n'est pas *elle* qui exerce un pouvoir direct mais cette obésité "extérieure à elle". Car si c'est elle qui a le pouvoir d'éloigner les gens, et non pas son obésité, elle devient davantage responsable d'elle-même. Et si elle est davantage responsable d'elle-même et peut agir pour elle-même de façon délibérée, ce qu'elle désire deviendra-t-il possible? Ou sera-t-elle punie et rejetée par les autres pour avoir osé s'autodéterminer plutôt que de s'être conformée aux attentes des autres? La mangeuse compulsive vit un autre paradoxe: l'image qu'elle se fait d'elle-même mince est celle d'une femme sexuellement attirante et, donc, investie de pouvoir. En souscrivant à l'image de la minceur dont la bombardent les médias, elle cherche à capter un pouvoir insaisissable que lui fait miroiter cette image, sans jamais tenir sa promesse. C'est précisément cette non-reconnaissance de la personne dans l'image sexuelle de la minceur qui l'amène à refuser inconsciemment cette minceur. Pour beaucoup de femmes, l'expérience de l'équation "minceur=attrait érotique=pouvoir" ne dure que le moment fugitif où elles font leur entrée, leur première impression. Ensuite, les autres s'approprient l'image et transforment les termes de l'équation en "minceur=attrait érotique=impuissance"; dès lors, il se peut qu'elle ne trouve aucun moyen d'être mince, sexuellement attirante et autonome. Pour les femmes, trouver le moyen de définir et d'exercer un certain contrôle sur leur sexualité sans se coincer aussi souvent dans le dilemme obésité/minceur est un enjeu crucial. Et c'est le fait que cette redéfinition nécessaire ne trouve pas d'appui qui amène la femme à attribuer *son propre pouvoir* à son obésité. Cela explique à la fois l'apparition du symptôme et sa persistance. Renoncer au symptôme et s'approprier le pouvoir qui y était associé, c'est se prendre au sérieux. Or, se prendre au sérieux a toujours été très risqué pour les femmes. Il est bon de le rappeler: qu'elles essaient de se conformer au rôle féminin traditionnel ou, au contraire, de le rejeter, de toutes façons, les femmes paient très cher leur place dans la société. La question que nous

nous posons toutes est de savoir si nous prendrons le risque d'être punies pour notre rébellion ou si nous accepterons d'être punies pour nous être soumises au rôle traditionnel assigné aux femmes. Comme l'ont dit de nombreuses femmes, les mots "épouse" et "mère" évoquent le renoncement alors que les autres images féminines — femme de carrière, parent unique, lesbienne — déclenchent l'hostilité et le rejet social.

Décrire les conventions à l'intérieur desquelles les femmes ont été forcées de vivre permet de comprendre, du moins je le crois, que nous puissions avoir choisi un intermédiaire — l'obésité — pour agir à notre place. La réappropriation de notre pouvoir, temporairement délégué à l'obésité, exige une réévaluation de soi. En elle-même, cette réévaluation produit un changement dans notre conscience et, sachant à quoi nous avons renoncé, nous pouvons peu à peu intégrer ce qui nous appartient à notre nouvelle perception de nous. Une fois que nous détenons le pouvoir que nous avions concédé à l'obésité, nous pouvons nous passer d'elle.

Chapitre 2

La minceur : ce qu'elle représente pour la mangeuse compulsive

Nous savons que toutes les femmes veulent être minces. Féminité est presque synonyme de minceur. Si nous sommes minces, nous nous sentirons en meilleure santé, plus légères, moins restreintes. Notre vie sexuelle sera plus facile et plus satisfaisante. Nous aurons plus d'énergie, plus de vigueur. Nous pourrons avoir de beaux vêtements, recevoir l'approbation de notre amant, de notre famille, de nos amis et amies. Nous pourrons être comme ces femmes des messages publicitaires, celles qui ont la belle vie; nous pourrons projeter diverses images, être tour à tour la sportive, la sensuelle ou l'élégante. Nous donnerons le bon exemple à nos enfants. Aucun médecin ne nous harcèlera plus pour que nous maigrissions. Nous serons admirées. Nous serons belles. Nous n'aurons plus jamais honte de notre corps à la plage, dans les magasins de vêtements, ou dans une automobile où l'on s'entasse. Nous serons assez légères pour nous asseoir sur les genoux de quelqu'un, assez légères pour danser. Nous pourrons nous asseoir confortablement dans toutes les positions, sans nous demander si nos bourrelets paraissent. Nous transpirerons moins et notre odeur sera plus agréable. Nous nous sentirons à l'aise dans les bars et lors des réceptions. Nous pourrons manger en public sans craindre la désapprobation des autres. Nous n'aurons plus à nous excuser d'aimer manger.

Ces images chargées de désirs bombardent notre inconscient à longueur de jour. En nous imaginant minces, nous pouvons toutes nous identifier à quelque chose de positif. Grosses, nous désirons être minces aussi désespérément que nous désirons manger, cherchant dans l'un comme dans l'autre la solution à tous nos problèmes.

Et pourtant, bien que la plupart d'entre nous désirent être minces, plusieurs millions de femmes sont obèses ou préoccupées de leur poids. L'une des thèses de ce livre n'est pas évidente à première vue: les femmes craignent d'être minces et l'obésité a ses buts et ses avantages. Notre expérience prouve que de nombreuses femmes ont vraiment peur d'être minces. Consciemment, elles le souhaitent de toutes leurs forces mais leur poids dément cette volonté et suggère que l'obésité joue un rôle actif dans leur vie, et que la minceur est le revers de la médaille. L'obésité sert d'écran protecteur à la mangeuse compulsive alors que la minceur lui apparaît comme un état dangereux: elle l'exposerait à ce qu'elle a tenté de fuir lorsqu'elle a commencé à grossir.

Pour vous aider à comprendre ce que je veux dire, je vous propose de faire l'exercice suivant: fermez les yeux quelques minutes et pensez à une situation que vous avez vécue aujourd'hui. Il peut s'agir d'un incident au travail, au magasin ou tout simplement chez vous.

Rappelez-vous en détail ce qui s'est passé... comment vous étiez habillée, si vous étiez debout ou assise... Rappelez-vous le plus précisément possible ce qui se passait avec les gens qui étaient autour de vous... Participiez-vous activement à cette situation ou vous en sentiez-vous exclue?... Essayez de retrouver le plus de détails possible...

Maintenant, imaginez-vous mince, exactement dans la même situation... Accordez une attention particulière à ce que vous portez... Comment vous sentez-vous dans votre corps?... Êtes-vous debout ou assise?... Que se passe-t-il avec les gens qui vous entourent?... Y a-t-il quelque chose de différent dans votre comportement avec eux?... Vous sentez-vous davantage exclue ou mieux intégrée?... Les gens ont-ils des attentes différentes à votre égard?...

Lorsque vous aurez bien imaginé les détails de cette situation, demandez-vous si elle déclenche chez vous certains sentiments négatifs... Y a-t-il quelque chose qui vous fait peur dans le fait d'être mince dans ces circonstances?...

Les femmes des groupes avec lesquels je travaille sont souvent très surprises de ce qu'elles découvrent sur elles-mêmes lorsqu'elles font cet exercice. Après un premier moment de plaisir à se voir minces, elles constatent l'apparition de pensées et d'émotions qui ressemblent à peu près à ceci:

1. Elles se sentent froides et égoïstes.
2. Elles se sentent osseuses, anguleuses, presque trop définies, et très centrées sur soi.
3. Elles sentent qu'on les admire au point de susciter des attentes vis-à-vis d'elles. Elles ont l'impression qu'elles seront incapables de garder les gens à distance, et en particulier ceux dont l'intérêt est de nature sexuelle.
4. Elles ne savent pas comment réagir à leurs propres désirs sexuels; elles ont l'impression de pouvoir agir en êtres sexuels mais se méfient de ce que cela implique.
5. Elles ont l'impression d'exercer un trop grand pouvoir.

6. Elles ne savent pas comment défendre leur espace vital et se sentent envahies par l'attention des autres parce qu'elles ne connaissent aucun moyen de la détourner. Elles se demandent comment se situer par rapport à cette admiration inhabituelle.
7. Elles se sentent mal à l'aise devant les regards et l'attitude de certaines femmes qui les perçoivent comme rivales.
8. Elles s'inquiètent à la perspective de devoir faire en sorte que tout aille bien dans leur vie. Elles ont l'impression de ne plus avoir d'excuse pour les problèmes qu'elles affrontent. Elles se sentent obligées de renoncer à toute cette douleur qu'exprimait leur obésité. Elles croient que, minces, elles ne pourront plus se permettre d'avoir le cafard et que personne ne s'apercevra plus de leur désespoir. Il est très important de comprendre que ces inquiétudes autour du poids et de la ligne, telles que nous venons de les décrire, sont une préoccupation constante pour les femmes parce que ces images sont les seuls modèles de comportement féminin socialement acceptables.

Je voudrais examiner une à une ces émotions et ces craintes et essayer de voir pourquoi elles reviennent si souvent chez les femmes qui s'adonnent à cet exercice de minceur imaginaire.

1. La peur que la minceur soit perçue comme un signe de froideur émotive nous est très familière. Nous savons jusqu'à quel point notre identité féminine est déterminée par le modèle de la femme généreuse et altruiste. Se percevoir comme froide et égoïste est en par-

faite contradiction avec la notion la plus fondamentale de notre éducation de petites filles. Combien d'entre nous peuvent accepter facilement que certains aspects de notre personnalité refusent ce modèle de générosité et d'altruisme? Nous nous sentons froides parce que nous nous permettons rarement de montrer cette facette de notre caractère.

Annie, une enseignante de cinquante-huit ans qui sera bientôt grand-mère, nous a dit: "Toute ma vie, j'ai cherché à créer un espace chaleureux et aimant autour de moi. Maintenant, si je m'imagine mince, je me sens glaciale et j'ai l'impression de voir une caricature émaciée de moi-même, qui n'aurait plus rien à voir avec la perception actuelle que j'ai de moi. Tout se passe comme si je cessais alors d'être chaleureuse, généreuse et pleine de vie." Nous craignons que montrer la moindre froideur fasse de nous une femme froide de la même façon que nous pensons que manger un bonbon signifie inévitablement que nous mangerons tout le paquet. Notre entourage s'attend à ce que nous soyons généreuses et altruistes et nous croyons aussi que nous devons répondre à ces attentes. La majeure partie de nos relations quotidiennes sont fondées sur notre capacité de prendre soin des autres. Être froide, même temporairement, c'est, pour ainsi dire, nier notre identité sexuelle.

2. Être anguleuse et trop définie est problématique parce que nous sommes habituées à ce que ce soit les autres qui définissent notre personnalité. Je veux dire par là que nous ajustons nos antennes en fonction des attentes des autres parce qu'on nous a découragées de développer notre propre identité.

Nous sommes définies en fonction des stéréotypes féminins traditionnels. Quand nous luttons pour trouver notre propre identité, on nous regarde comme des bêtes curieuses, on ne nous offre aucun appui et on nous témoigne même de l'hostilité. Diane, une psychiatre canadienne, qui suivait notre thérapie avec un groupe de mangeuses compulsives, était aux prises avec une peur très répandue: elle craignait que si elle devenait mince, les gens croiraient qu'elle ne s'intéressait plus qu'à elle et non plus aux autres. Être mince et belle (pour elle, les deux allaient de pair) signifierait qu'elle était vaniteuse et centrée sur elle-même puisqu'il lui faudrait consacrer toute son énergie à y parvenir. Diane pensait que son obésité camouflait l'importance qu'elle s'accordait et que, si elle était mince, ce sentiment serait mis au jour. Comme son travail consistait à aider les autres, l'idée qu'elle pourrait être aussi préoccupée d'elle-même l'horrifiait. De nombreuses femmes partagent son malaise. On nous a appris à prendre soin des autres, d'abord et avant tout et, souvent, nous nous sentons coupables lorsque nous nous apercevons que, en fait, nos propres besoins, nos désirs et nos préoccupations passent au premier plan. Pour Diane, ce dilemme était particulièrement aigu et elle a constaté qu'elle s'empiffrait de biscuits juste avant ses séances avec ses patients. Elle avait ainsi l'impression d'accomplir deux choses: elle s'assurait de rester grosse, ce qui était pour elle synonyme de stabilité et de fiabilité; et elle évitait de trahir l'importance qu'elle s'accordait pendant qu'elle travaillait avec un client. En s'empiffrant de biscuits, elle ravalait ses propres sentiments pour ne pas les exprimer.

3. Être admirée ne va pas toujours sans problèmes. Si l'on nous admire lorsque nous sommes minces, nous avons souvent l'impression de n'être appréciées que pour notre corps. Longtemps, le corps a été le principal atout

des femmes; la façon dont elles le comparent à celui des autres femmes influe de manière importante sur ce qu'elles ressentent. L'apparence d'une femme déterminera en partie le choix de ses amants et de son mari. Il est beaucoup plus important pour elle que pour l'homme d'être attirante. Évidemment, il est absurde d'être évaluée en fonction des modes et des stéréotypes sexuels. Que devient alors cette partie de nous qui pense et qui agit? Être mince peut nous faire redouter de n'être perçues que comme des êtres sexuels plutôt que comme des personnes à part entière.

4. Le désir d'être sexuelle est à double tranchant. D'une part, de nombreuses femmes associent la minceur à l'attrait sexuel et se sentent plus à même de choisir leurs partenaires. Minces, elles se sentent justifiées de choisir parmi les personnes qui les intéressent alors que si elles sont trop grosses, elles ont l'impression de devoir attendre l'homme ou la femme qui réussira à traverser les couches de graisses pour découvrir leur "véritable moi". D'autre part, de nombreuses femmes redoutent cette nouvelle sexualité que leur promet la minceur; elles croient qu'elles auront un comportement différent de leur comportement habituel. L'une des craintes qui revient le plus souvent dans les groupes s'exprime à peu près en ces termes: "Si je deviens mince et très attirante, je serai peut-être tentée de me tourner vers d'autres hommes que mon mari. Je ne veux pas mettre notre relation en danger." Nous n'avons pas eu grand-chose à dire sur l'orientation de notre sexualité et, une fois laissées à nous-mêmes, il nous est donc souvent très difficile de savoir ce que nous voulons exactement.

L'une des femmes avec qui j'ai travaillé expliquait ainsi ce problème: "Si je suis moins enveloppée, les gens me verront davantage et je serai mise à nu. C'est ma sexualité qui sera dévoilée. Grosse, je la cache bien et je fais semblant de ne pas être sexuée. Mince, je révèle une sexualité informe et débridée; il est si rare que je sois mince que je ne me suis jamais habituée à me sentir à l'aise dans ma sexualité."

Les affiches, la télévision et le cinéma nous bombardent constamment d'images de la sexualité féminine. La publicité nous montre des femmes plus ou moins dévêtues pour vendre des voitures, des tracteurs ou d'autres produits. La sexualité féminine devient un objet de consommation pour les hommes comme pour les femmes.

Cette situation complique encore les choses. Les objets sexuels des hommes sont les femmes. Mais pour les femmes, le objets sexuels sont également les femmes puisque ce sont des images féminines qui représentent habituellement la sexualité. Les femmes sont donc plongées dans la plus grande confusion si elles ne correspondent pas à l'image qu'on leur présente. Si une femme ne ressemble pas à l'image de la publicité ou de la mode, comment oserait-elle prétendre qu'elle est malgré tout sexuelle?

Mais pourquoi la minceur devient-elle un problème d'ordre sexuel? Pour beaucoup de femmes, la réponse tient à ce qu'elles ont vécu leur obésité comme un moyen d'éviter la sexualité. Même si cette négation de la sexualité est très douloureuse, elle peut apparaître comme une solution pour les femmes qui redoutent l'équation minceur = attrait sexuel. Comme nous le faisons pour toutes les fantaisies liées à la minceur, dans nos groupes, nous travaillons à découvrir de nouvelles façons de dire "oui" ou "non" à la sexualité afin que, quel que soit notre poids, nous puissions continuer à définir nous-mêmes nos besoins sexuels. Ainsi, si l'obésité était notre façon de dire "non" à la sexualité, nous devons apprendre à nous servir de notre bouche pour parler et exprimer ouvertement ce "non" au lieu d'espérer que le monde entier comprenne comme par magie que d'emplir notre bouche de nourriture est une façon de dire ce "non". La bouche a deux grandes fonctions: elle nous permet de parler et de manger. Les mangeuses compulsives craignent parfois de ne pas savoir comment utiliser leur bouche pour parler.

5. Certains niveaux de résistance à la minceur ont des racines plus profondes. Plusieurs femmes s'aperçoivent qu'une des peurs qu'elles associent à la minceur est celle de se sentir trop puissantes. Dans notre société, les filles apprennent très tôt que leur rôle dans la vie est de seconder un homme puissant. Leur identité sera déterminée par la position de leur mari; elles seront des épouses et des mères aimantes, la femme derrière le grand homme. On décourage systématiquement les filles de rechercher tout pouvoir personnel autre que celui conféré par la maternité. Pour beaucoup de femmes, être minces signifierait réussir *trop bien* et donc, déborder de leur "rôle social".

Le pouvoir pose aux femmes trois problèmes étroitement liés: le premier découle des images culturelles associées au pouvoir des femmes; le deuxième, de l'éducation des petites filles; et le troisième, des conséquences réelles ou imaginaires du pouvoir pour les femmes. Les rares exemples connus de femmes puissantes sont associés soit à la destruction, comme Hélène de Troie ou Cléopâtre, soit à l'émasculation d'un pauvre type, comme dans *Maggie et Jiggs*.

La mère toute-puissante n'a de pouvoir qu'en tant que mère; dès que le père revient à la maison, il se réapproprie l'autorité et elle redevient *son épouse.* La petite fille intègre donc une image très confuse du pouvoir: le pouvoir de sa mère — le pouvoir féminin — cède devant celui du père, mais le pouvoir du père — le pouvoir mâle — se traduit généralement par la rudesse et la compétition.

En grandissant, la petite fille apprend à s'accommoder de son statut de citoyenne de deuxième classe. Sa mère lui enseigne qu'elle doit se consacrer aux autres (comme elle se consacre elle-même à son mari) et à accepter que les autres définissent les frontières de son univers. Le concept de féminité interdit à la fillette de se percevoir comme efficace et puissante parce que, chez une femme, le pouvoir devient synonyme d'égoïsme; agir pour soi signifie priver les autres.

Les femmes risquent le rejet social si elles deviennent trop puissantes. Si une femme a du pouvoir et qu'elle est capable de prendre soin d'elle, elle peut avoir peur de n'avoir besoin de personne et de devenir trop égocentrique et solitaire. Cette peur est alimentée par la réaction des autres: les hommes s'opposent souvent aux efforts des femmes pour prendre du pouvoir. "Tout ce qu'il lui faut, c'est un homme."

Trop souvent, les femmes ne sont pas plus encourageantes vis-à-vis de celles qui tentent d'acquérir plus d'autonomie. Elles sont jalouses, se sentent menacées ou exclues. Par conséquent, les femmes qui s'écartent de leur rôle social traditionnel, en se percevant d'abord comme des êtres ayant du pouvoir, puis en agissant comme telles, risquent de se retrouver en mauvaise posture.

Affronter ce problème fait partie intégrante de la thérapie de groupe. Ensemble, nous nous demandons pourquoi on apprend aux femmes à accepter un rôle secondaire et nous examinons les structures de pouvoir qui prévalent dans les familles et dans les autres institutions sociales. Nous essayons de voir comment ces structures de pouvoir ont affecté la vie de chacune d'entre nous.

6. La question de la délimitation des frontières est une peur très complexe dont les femmes souffrent presque inévitablement. La littérature psychanalytique regorge d'allusions au problème qu'ont les femmes à délimiter leurs frontières, c'est-à-dire à définir l'espace qu'elles occupent dans le monde, à savoir où commence et où finit leur territoire. Cette difficulté trouve ses racines dans l'élaboration de la psychologie féminine. On sait que le rôle social de la femme exige qu'elle soit une personne généreuse et dévouée qui sert de support émotif à son entourage. On lui demande de faire correspondre ses intérêts à ceux des autres et de s'épanouir en ajustant ses besoins et ses désirs à ceux des autres, et en particulier à ceux de son amant, de son mari et de ses enfants qui doivent être au centre de sa vie. On fait tout pour la dissuader d'acquérir une autonomie économique et émotive. Être grosse constitue à la fois une tentative de se confondre avec les autres et, paradoxalement, de dresser un mur impénétrable autour de soi. Les femmes associent souvent la minceur à des problèmes de délimitation des frontières. Si leur obésité était un moyen d'affirmer leur entité et leur espace vital, minces, elles se sentiront vulnérables et sans défense. Maggie, une employée de bureau de trente-huit ans, l'exprime en ces termes: "Si je n'ai plus toute cette

graisse *sur moi*, les gens vont venir très près et je n'aurai plus ni contrôle, ni protection." Les schémas que vous voyez sur cette page expliqueront peut-être plus clairement la façon dont s'articulent ces perceptions.

Dans le schéma A, la femme est grosse et a l'impression que son véritable moi existe quelque part sous la graisse. L'obésité protège sa présumée vulnérabilité.

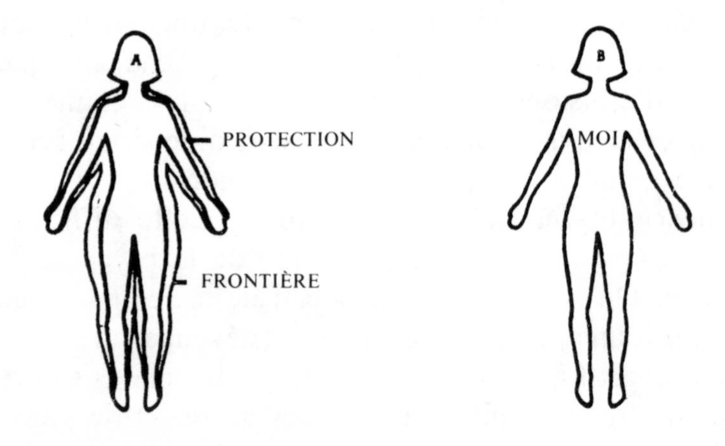

Elle s'imagine qu'en perdant cette graisse, elle perdrait en même temps cette couche protectrice contre le monde extérieur.

La disparition de ces frontières fixes du moi entraîne un autre de ces états terrifiants que les femmes associent à la perte de poids: la peur d'être envahie par les autres. L'obésité peut avoir permis à la femme de maintenir une certaine distance entre elle et les autres. Elle s'imagine que si les gens ne s'approchent pas d'elle et que si elle-même ne se sent pas vraiment le droit de les approcher, c'est uniquement à cause de son obésité. Elle craint donc qu'une fois mince, les gens empiètent sur son territoire et la pénètrent. Une fois de plus, nous constatons que l'obésité est pour les mangeuses compulsives un moyen de faire face aux difficultés de leurs relations avec les autres.

7. La compétition pose d'énormes problèmes aux femmes. Elles ont été forcées d'entrer en compétition les unes contre les autres pour trouver l'homme qui est censé prendre soin d'elles et, surtout, qui légitime leur sexualité. Cette compétition entre femmes est extrêmement féroce et douloureuse même si elle n'a lieu qu'au niveau de l'inconscient. Elle nous oblige à nous évaluer mutuellement pour nous sentir soit à l'aise, soit mal à l'aise lorsque nous abordons les autres. À peine arrivées dans une réception, nous nous évaluons en fonction de notre attrait sexuel en le comparant à celui des autres femmes présentes. Ce réflexe est à ce point intégré à notre culture qu'il est pratiquement institutionnalisé; il s'exprime probablement sous sa forme la plus dégradante dans les concours du genre "Miss Univers", où des femmes rivalisent sur les plans de la beauté et de la "personnalité". De nombreuses femmes tentent d'échapper à cette douloureuse compétition en devenant grosses. La perspective de la minceur révèle leurs impulsions à entrer en concurrence avec les autres femmes. Souvent, les femmes ne savent pas comment elles affronteront leurs propres désirs de compétition ainsi que l'animosité qu'elles susciteront, selon elles, chez les autres femmes.

8. Finalement, le constat de Penny, une enseignante de vingt-quatre ans, illustre parfaitement une autre des peurs les plus fréquemment associées à la minceur. Penny était mécontente de sa vie à plusieurs égards, même si elle aimait son travail et avait des amis, des amies et des relations amoureuses. Elle se disait que si

elle arrivait à perdre cinq kilos, tout irait beaucoup mieux. Ses problèmes s'expliquaient, selon elle, par son excédent de poids. Mais, en approfondissant ensemble la question, nous avons découvert que, pour Penny, la minceur était synonyme de compétence et de confiance en soi et ne laissait donc aucune place pour ce qui allait de travers dans sa vie. Si elle était mince, comment pourrait-elle avoir des problèmes? Si elle était mince, elle ne saurait plus comment exprimer sa douleur et sa tristesse quand elle les ressentirait. Penny s'est aperçue que son excédent de poids lui donnait une raison pour justifier son insatisfaction. Sans cette raison, elle aurait eu peur de ne pas être à la hauteur de l'image idéale véhiculée par les médias. Pour reprendre ses propres termes: "Si je devenais aussi mince que je croyais vouloir l'être, il ne me resterait plus qu'à faire en sorte que tout aille parfaitement bien dans ma vie!"

Avant d'exprimer en détail ce que vivent les mangeuses compulsives lorsqu'elles maigrissent, il est important de souligner que tant les *images* que la *réalité* de la minceur sont porteuses de messages contradictoires. Une même femme peut associer à la minceur comme à l'obésité des attributs très divergents. Elle peut se dire: "Mince, je me sens vulnérable et j'ai presque l'impression de disparaître", s'imaginant que son obésité lui confère de la force et de la consistance. Mais cette même femme peut découvrir que, pour elle, la minceur est également synonyme de force et de vigueur alors que l'obésité représente exactement le contraire, c'est-à-dire une mollesse indéfinissable, un tas de matière flasque.

Nous sommes toutes familières avec ce genre de contradictions qui surgissent dans notre vie quotidienne. Ce qui est peut-être plus difficile à saisir, c'est que la mangeuse compulsive éprouve des sentiments contradictoires vis-à-vis de l'obésité et de la minceur. Les nutritionnistes, les psychologues, les médecins et les articles de magazines sur les régimes amaigrissants et la beauté abordent rarement les enjeux qui semblent les plus fondamentaux lorsqu'on veut briser le cycle obésité-minceur, régime-boulimie.

Souvent, les tentatives antérieures des mangeuses compulsives pour perdre du poids et rester minces se sont avérées extrêmement difficiles. Il y a plusieurs raisons à cela mais avant de les examiner, quelques remarques préliminaires s'imposent pour en saisir le contexte. Les images négatives associées à la minceur sont largement inconscientes, ce qui signifie qu'elles ne sont pas facilement identifiables pour les gens absorbés par la vie courante. Les exercices contenus dans ce livre sont conçus pour fournir des indices qui nous permettent d'en savoir plus long sur ces idées et ces associations dont nous ne sommes généralement pas conscientes. Nos pensées inconscientes ont autant d'impact sur notre vie quotidienne que nos désirs, nos pensées et nos actes conscients. L'inconscient joue un rôle actif dans nos vies. Lorsque nous essayons de modifier notre comportement ou nos émotions et que nous échouons, nous examinons les explications qui se présentent à nous spontanément. Les facteurs sociaux ont une importance déterminante et ne doivent jamais être sous-estimés mais nos motivations inconscientes — causées par la répression de désirs socialement inacceptables — ont énormément d'importance et il faut aussi en tenir compte. En travaillant sur des questions de poids et d'image de soi dans les groupes, nous essayons de nous aider mutuellement à faire le travail émotif nécessaire pour que cette fois nous comprenions toutes les implications de la minceur et pour que les dangers anticipés soient réduits au minimum. Cela signifie que notre travail vise à:

(1) Explorer les pensées conscientes et inconscientes que les femmes nourrissent vis-à-vis de l'obésité et de la minceur.

(2) Dissocier ces idées des différents états physiques, de sorte que les qualités que la femme relie à son poids puisse lui être attribuées directement plutôt qu'à son "moi mince" ou à son "moi obèse", lui permettant ainsi d'exprimer diverses facettes de sa personnalité sans tenir compte de sa taille.

(3) Fournir aux femmes d'autres moyens que la nourriture pour se protéger, s'affirmer et se définir.

La peur de la minceur qu'entretiennent les mangeuses compulsives à partir de leurs tentatives antérieures pour perdre du poids tourne autour de plusieurs thèmes. Mais presque toutes les mangeuses compulsives, quelle que soit leur psychologie personnelle, partagent l'expérience d'avoir maigri suite à un régime. Généralement, la seule façon qu'a trouvée la mangeuse compulsive pour maigrir est de se soumettre à de sévères privations. Comme son poids a une importance cruciale pour elle lorsqu'elle décide de suivre un régime, elle l'investit du pouvoir de faire des miracles pour elle. En fait, bien des femmes expliquent qu'une fois qu'elles ont décidé de suivre un régime, la somme d'énergie psychique mobilisée pour se restreindre de façon draconienne est si considérable qu'elles se sentent merveilleusement héroïques, à l'abri de toute critique, presque sanctifiées. Tout va bien jusqu'à ce qu'elles se mettent à tricher et retrouvent du même coup leurs motifs de récrimination. De la même façon que le début du régime représentait la promesse du paradis, l'infraction donne le signal du retour à l'état infernal de la compulsion alimentaire.

Pour une femme, l'expérience de se priver pour suivre un régime entraîne deux niveaux de conséquences. Le premier niveau, qui produit l'euphorie, lui permet de poursuivre le régime afin de conserver l'impression d'être dans le droit chemin et de regarder avec mépris son comportement antérieur devant la nourriture. Mais, à un autre niveau, manger en observant toute une série d'interdits lui rappelle constamment qu'elle ne peut pas se faire confiance. Par conséquent, elle peut maigrir, atteindre un poids normal et être comme tout le monde, uniquement à condition de rester prisonnière du carcan des privations compulsives, de combattre sans fléchir le monstre de la compulsion alimentaire et d'être toujours aux aguets.

Cette lutte incessante contre la boulimie place la femme dans une situation extrêmement précaire. Elle s'inquiète autant qu'avant de ce qu'elle peut et ne peut pas manger et elle croit rarement qu'un régime, quel qu'il soit, puisse mettre fin à ses problèmes alimentaires. Comme avant, elle se préoccupe jour et nuit de son alimentation et de son poids. Si pour la mangeuse compulsive la vie semble être entièrement consacrée à manger, le régime, lui, est extérieur à la vie et perçu comme irréel. La dépendance persiste avec tout son cortège d'obsessions: "Est-ce que je pourrai résister à ces frites et à ce merveilleux dessert?" "Est-ce que je vais pouvoir manger ce que Joyce a prévu pour le souper? J'espère que ce ne sera pas trop riche." Cette tension constante alimente son impression d'être incapable de continuer à surveiller son alimentation une fois qu'elle est mince. Le spectre de l'obésité n'est jamais bien loin. La mangeuse compulsive n'apprend pas à se faire confiance pour rester mince. Elle est devenue une femme mince, une femme qui a une apparence et un comportement différent de l'autre, de l'obèse qu'elle était, mais cette nouvelle femme, elle ne la connaît pas encore très bien. Elle ne sait pas si elle est digne de confiance ou s'il vaut la peine d'apprendre à la connaître, puisqu'elle ignore combien de temps elle réussira à rester mince. Si elle a l'habitude de rester mince pendant environ deux mois après un mois de régime, et d'être grosse les neuf autres mois de l'année, son "moi obèse" lui est beaucoup plus familier. Comme, au fond, elle ne croit pas que son moi mince puisse survivre très longtemps, elle entretient une relation de méfiance avec lui. Sa vie de femme mince a un caractère précaire qui n'est pas générateur de confiance en soi.

Et puis, il y a ce nouveau corps auquel il faut s'adapter, cette version réduite de soi. (Nous avons déjà tendance à percevoir notre impact sur le monde comme négligeable, en particulier si nous sommes des femmes, alors réduire encore notre présence physique nous semble bizarre, sinon absurde.) Ce manque de familiarité avec son corps s'accompagne d'un changement draconien de l'image que la femme a d'elle-même. De nombreuses femmes se souviennent que, minces, elles portaient des vêtements très différents de ceux auxquels elles étaient habituées, non seulement à cause de la taille inscrite sur l'étiquette mais aussi à cause du style qu'elles choisissaient. La minceur tenait la promesse de pouvoir leur permettre de se vêtir d'une manière qu'elles s'interdisaient jusque-là; par exemple, s'habiller pour être séduisante est une pensée tabou pour la plupart des femmes corpulentes. “Si je suis grosse, je dois être horrible et je ne mérite pas d’avoir de beaux vêtements.”

Une fois minces et bien habillées, ces femmes se comportent autrement avec leur entourage; mais elles constatent rapidement qu’elles sont mal préparées pour faire face aux réactions qu’elles déclenchent. Kate, une étudiante diplômée en anthropologie, s’en est aperçue lorsque, enfin mince, elle est allée à une réunion d’amis vêtue d’un *jeans* collant et d’une chemise légèrement transparente (au lieu d’une de ses éternelles robes sacs): ses amies, qui l’avaient d’abord accueillie par des compliments et des encouragements, ont paru inquiètes en voyant leurs maris et amants s’approcher d’elle. Kate avait peur que les autres femmes soient jalouses et ne l’aiment plus mais elle ne savait pas comment tenir les maris à distance. En groupe, nous avons discuté des diverses significations de cette nouvelle manière de s’habiller. Finalement, elle a décidé que la prochaine fois qu’elle perdrait du poids, elle prendrait le risque de se sentir à l’aise et sensuelle dans ses vêtements sans menacer ses amies. Elle essayerait de partager avec elles cette acceptation nouvelle et fragile de son corps et les rassurerait quant à ses intentions vis-à-vis de leurs maris. Cette démarche a également aidé Kate à ne plus être perturbée à l’idée de porter des vêtements séduisants et sensuels.

L’image de soi et le sentiment de sécurité sont deux enjeux extrêmement importants. Dans les groupes, nous y travaillons principalement en encourageant les femmes à accepter les aspects physiques liés à l’obésité. L’acceptation de soi est le principal but de la thérapie de groupe; tant que l’on n’y parvient pas, la perte de poids et la rupture de la dépendance vis-à-vis de la nourriture ne peuvent être que temporaires. Nous essayons de faire en sorte que les femmes puissent se réapproprier leur obésité et les diverses significations qu'elles lui ont données. Lorsqu'elles perdent du poids, elles peuvent alors exercer elles-mêmes les fonctions qu'elles lui attribuaient si elles en sentent encore la nécessité. Elles n'auront pas l'impression de perdre une couche protectrice; en apprenant à habituer tout leur corps et à s'identifier à lui, elles pourront ensuite se permettre de le comprimer. Les diagrammes suivants illustrent ce processus.

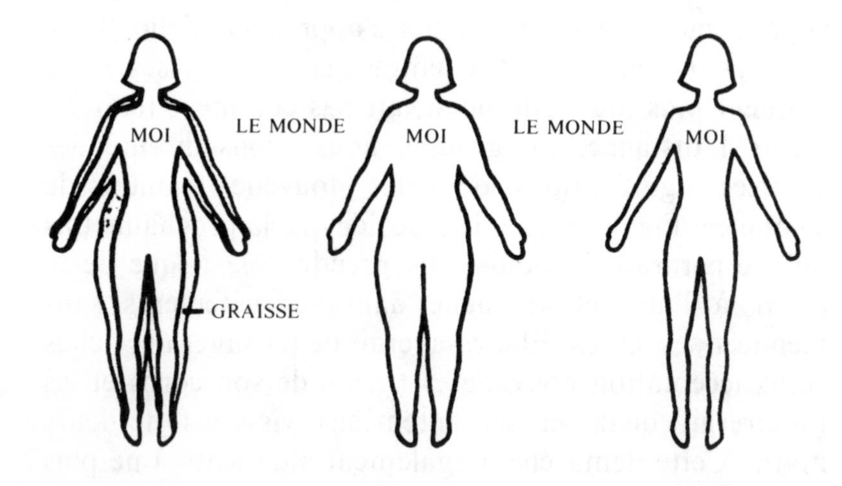

Afin de faciliter la tâche très complexe de l'acceptation de soi et pour se préparer à vivre dans un nouveau corps mince et à avoir une nouvelle image de soi, nous utilisons certaines stratégies. Souvenez-vous qu'il vous faut d'abord posséder quelque chose avant de pouvoir le perdre. Vous devez d'abord accepter votre corps dans toute sa corpulence avant de maigrir. Cette démarche commence devant un grand miroir sans distorsion. Les membres du groupe consacrent tous les jours une certaine période de temps — cela peut n'être que deux ou trois minutes — à l'observation de leur corps. La plupart des mangeuses compulsives connaissent très bien leur visage mais sans en saisir la relation avec le reste de leur corps. L'exercice consiste à observer son corps, c'est-à-dire à se regarder sans en juger le reflet dans le miroir. Pour beaucoup de femmes, cela s'avère difficile et effrayant parce que nous avons été habituées à faire la grimace et à nous trouver horribles dans les rares occasions où nous avons vu notre corps dans son ensemble. Nous avons le réflexe d'éviter les surprises désagréables en passant devant les vitrines des magasins la tête baissée pour ne pas nous retrouver devant notre image par mégarde, ce qui susciterait inévitablement des sentiments désagréables. Pour cet exercice, nous commençons donc par demander à la femme de regarder le reflet de son corps comme elle regarderait une oeuvre d'art, une sculpture par exemple, pour connaître sa texture et ses dimensions. La femme observe attentivement là où il commence et là où il finit, la forme et ses courbes, les changements de sa peau, etc. Elle examine son corps dans diverses positions, d'abord debout, face au miroir puis assise — sans avoir à cacher la moitié de son corps — et, finalement debout, de profil. Certaines trouvent l'exercice plus facile lorsqu'elles sont habillées; d'autres sont plus à l'aise nues. Nous commençons par ce qui est le plus facile et nous poursuivons ainsi l'exercice jusqu'à ce que la femme puisse se regarder dans le miroir sans ressentir de mépris ou de dégoût pour son corps.

La deuxième étape de l'exercice du miroir vise à vous faire sentir que vous existez dans tout votre corps. De nombreuses femmes perçoivent leur graisse comme quelque chose qui entoure leur véritable moi, ou encore, elles ont l'impression que leur graisse les envahit et occupe beaucoup plus d'espace qu'elle en prend en réalité. Lorsque la femme est debout devant le miroir, dans cette partie de l'exercice, elle s'efforce de se sentir vivre *dans tout son corps.* Elle observe les mouvements de sa respiration qui part des poumons et qui se propage dans le reste de son corps. Elle regarde ses grosses cuisses, qu'elle souhaite peut-être rejeter, en pensant qu'elles font autant partie d'elle-même que ses poignets qui semblent beaucoup plus acceptables. Si vous faites cet exercice, essayez de voir toutes les parties de votre corps en relation les unes avec les autres. Commencez par vos orteils et regardez-les en vous souvenant qu'ils sont reliées à vos pieds et que vos pieds sont reliés à vos chevilles et vos chevilles, à vos mollets, et ainsi de suite. Cela vous permettra d'avoir une vision globale de votre corps et vous commencerez à percevoir votre existence dans la graisse et non pas à l'intérieur d'elle.

Cette nouvelle approche a une autre fonction. Si vous pouvez sentir que vous existez aussi dans votre graisse, lorsque vous perdrez du poids, vous n'aurez pas l'impression de perdre une couche protectrice; vous sentirez plutôt que vous vous comprimez. En percevant votre existence dans votre obésité, elle devient une partie de vous-même. En y renonçant, vous faites un échange: vous troquez l'obésité contre votre vrai corps et ce geste est une prise de pouvoir.

Il est nécessaire de revoir ici nos petits schémas parce qu'ils peuvent vous aider à comprendre l'objectif que nous essayons d'atteindre en réduisant l'écart entre le moi obèse et le petit moi physique intérieur. Nous cherchons à remplacer la séquence moi: ma graisse le monde, par la séquence: moi = le monde.

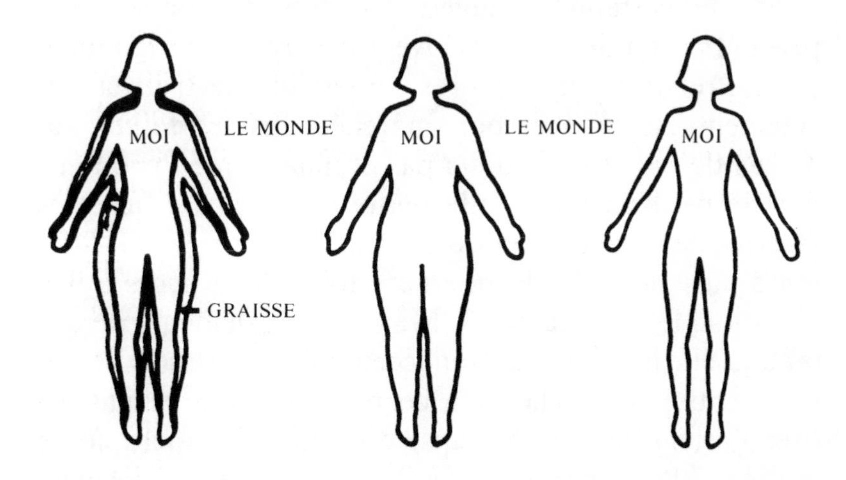

Comme je l'ai mentionné plus haut, les femmes racontent que lorsqu'elles avaient perdu du poids, elles se permettaient de porter des vêtements très différents de ceux qu'elles choisissaient lorsqu'elles considéraient leur corps d'un poids inacceptable. La mangeuse compulsive peut posséder au moins trois garde-robes: un ou deux vêtements immenses et informes destinés à la recouvrir complètement lorsqu'elle est à son poids le plus élevé; des vêtements informes qu'elle porte lorsqu'elle est à son poids habituel; et, finalement, des vêtements différents, plus seyants et plus colorés, qu'elle porte lorsqu'elle est mince. Les vêtements les plus grands seront presque inévitablement représentatifs de ce que l'on peut trouver dans tous les magasins et de ce que la mangeuse compulsive croit qu'elle peut se permettre de porter. Si vous cherchez dans les vêtements de taille 18 ou 20, vous constatez immédiatement qu'ils sont beaucoup moins variés et beaucoup moins jolis que ceux des tailles 10 et 12. Les vêtements que l'on retrouve sur le marché sont le reflet de certains préjugés: les personnes obèses ne peuvent porter de couleurs vives, des rayures horizontales etc... Bref il est à peu près impossible de trouver des vêtements seyants et bon marché dans les tailles au-dessus de 14. Il n'est donc pas étonnant que lorsqu'une femme perd du poids, elle tente de projeter différentes facettes de sa personnalité en s'habillant de façon différente puisque, pour la première fois, elle a accès à différents styles de vêtements. Mais il est également vrai que tant qu'elle juge son poids inacceptable, elle se servira des vêtements pour cacher son corps de façon à ne pas attirer l'attention. Le principal objectif de la thérapie de groupe est de permettre à chaque femme de mieux accepter son corps. Sans cette acceptation de soi, nous croyons que la perte de poids ne peut être que temporaire parce qu'elle continue à susciter des sentiments de peur. Afin d'éviter cet état, il y a tout un travail préparatoire à faire sur la corpulence, l'image de soi et l'habillement. Nous incitons les femmes à jeter, ranger ou échanger avec d'autres membres du groupe, tous les vêtements qui ne leur vont pas au moment présent; cela signifie qu'au lieu d'affronter tous les matins trois séries de vêtements (et donc trois personnes différentes) et de se torturer en contemplant ces "vêtements-minceur" qui les narguent constamment, les femmes ont devant elles des vêtements qui leur vont et qu'elles peuvent porter. Une bonne partie de l'image négative que la mangeuse compulsive a d'elle-même s'exprime dans la manière dont elle s'habille et dont elle s'occupe de son apparence; et cela l'entraîne à se haïr elle-même encore plus. Une des femmes avec qui j'ai travaillé m'a dit: "J'ai honte de mon corps et je me contente de le cacher le mieux possible sous une grande robe informe. Puis, je constate que je n'aime pas mes vêtements et je finis par me détester doublement." Ces sentiments d'autodépréciation amènent inévitablement la mangeuse compulsive à s'empiffrer pour apaiser ces émotions pénibles puis, évidemment, à faire son autocritique et à prendre de nouvelles résolutions qui aboutiront à un nouveau régime.

Après avoir dépouillé les garde-robes, nous sommes prêtes à passer à la deuxième étape. Il s'agit d'expérimenter diverses images de soi et de s'habiller dès maintenant pour exprimer les différentes facettes de sa personnalité au lieu d'attendre d'être mince pour porter le type de vêtements dans lesquels nous nous plaisons à nous imaginer. Il n'est pas criminel de porter votre chemise ou votre chandail à l'intérieur de votre pantalon même si vous n'êtes pas mince. Il est rare que cela vous fasse paraître plus grosse; votre corps est simplement mieux défini. Nous entretenons le préjugé voulant que des vêtements amples nous fassent paraître moins grosses que des vêtements ajustés. Il est possible que ces derniers attirent davantage l'attention mais, si c'est le cas, cela vous permet d'apprendre dès maintenant à vous habituer à l'une des conséquences de la minceur. Mieux vaut vérifier comment vous vous comportez lorsqu'on vous regarde pendant que vous bénéficiez encore de la sécurité de votre obésité. Il est important d'éprouver diverses images que vous avez envie de projeter pour savoir quelles sont celles qui vous mettent vraiment à l'aise et celles qui vous font peur. Dans nos groupes, les femmes peuvent profiter de l'opinion des autres sur leurs diverses images et voir s'il y a un écart entre ce qu'elle veulent projeter et ce qu'elles projettent en fait. Les membres du groupe peuvent aussi s'aider mutuellement pour acheter ou confectionner (1) des vêtements, et surmonter les difficultés d'une journée de magasinage où elles doivent affronter la désapprobation réelle ou imaginaire des vendeurs et vendeuses ainsi que des autres acheteuses.

L'exercice du miroir et le fait de s'habiller pour le moment présent sont deux des techniques de base utilisées dans la thérapie de groupe pour aider les femmes à accepter leur corps tel qu'il est et à se préparer à avoir un corps plus mince. Nous encourageons aussi les femmes à adopter une image proche de celle qu'elles envisagent d'avoir une fois minces. Cette démarche sur l'image de soi touche aussi bien des aspects physiques que des aspects émotifs, et l'un des objectifs du groupe est de travailler simultanément à ces différents niveaux.

Un autre des exercices préparatoires que nous utilisons consiste à imaginer non seulement ce que vous avez l'intention de projeter comme image par vos vêtements une fois que vous serez mince, mais aussi par votre posture et votre attitude physique de façon plus générale. Bien des femmes disent que lorsqu'elles étaient minces, elles se tenaient debout, s'assoyaient et dansaient très différemment, en adoptant habituellement des postures plus ouvertes. Ces différences avaient des conséquences variées, certaines agréables à vivre, d'autres beaucoup moins. Les difficultés tenaient principalement aux réactions des autres; les femmes s'apercevaient qu'elles ne savaient pas comment les affronter. Grossir de nouveau avait été la seule possibilité s'offrant à elles. L'exemple de Janet montre bien à quel type de problèmes elle avait dû faire face lorsqu'elle avait été mince dans le passé.

Janet a vingt-six ans et elle est travailleuse sociale dans un centre de désintoxication. Elle a passé son enfance à Brooklyn et elle était l'aînée de trois enfants dans une famille juive de classe moyenne. Sa mère avait une propension à l'embonpoint et se mettait à la diète de temps en temps; elle mangeait souvent une version modifiée du repas familial, bannissant de son assiette pommes de terre et desserts. À l'adolescence, lorsque son corps commença à se transformer, Janet engraissa de six ou sept kilos. Elle se sentait mal à l'aise devant les transformations de son corps et consultait les magazines pour adolescentes en espérant qu'ils lui apprendraient comment se débrouiller avec ses nouvelles formes et les sentiments déconcertants liés à la puberté. Elle lisait attentivement tous les articles portant des titres du genre: "L'adolescente en beauté" ou "Comment bien vivre les transformations de votre corps". Mais sous ces titres rassurants, Janet trouva un message effrayant: elle découvrit qu'elle n'avait pas du tout le corps qu'il fallait et que la seule solution consistait à contrôler son poids. C'est ainsi que commencèrent pour elle treize années de régimes sévères et de crises de boulimie débridée. Les premières inquiétudes et les premières angoisses de Janet au sujet de son corps n'ont trouvé aucun autre exutoire que ces magazines; nulle part, elle ne pouvait découvrir le dégoût, la peur mais aussi l'excitation que provoquaient chez elle ses seins, ses menstruations et l'apparition de poils sur son pubis. En lui-même, le début de ses menstruations avait été plutôt troublant. Préparée à cet événement, elle n'avait donc pas été effrayée quand le sang avait commencé à couler, mais il lui fut impossible de comprendre la réaction de sa mère. Lorsque Janet lui annonça la nouvelle, elle reçut d'abord une gifle (2), puis des félicitations. Elle entendit ensuite sa mère téléphoner à tous les amis de la famille pour leur apprendre avec fierté que Janet était devenue une femme. L'initiation à la féminité s'accompagnait donc d'un acte de violence. Janet avait du mal à faire le lien entre la gifle et les félicitations. La pensée qu'elle avait dû faire quelque chose de mal, ou qu'elle était dans la mauvaise voie l'amena à se raccrocher à ces articles et à ces messages publicitaires qui assuraient qu'en atteignant la ligne idéale on résolvait tous les problèmes. Le premier régime qu'elle suivit lui procura une sensation merveilleuse: elle le vécut comme une affirmation de son indépendance vis-à-vis de sa famille. Elle mangerait ce qu'elle voudrait au lieu d'avaler ce qu'on mettait dans son assiette. Ce régime aurait une double fonction: il lui permettrait de transformer son corps et, par la même occasion, de se dissocier de la famille. Janet avait de bons résultats scolaires; elle fréquenta le collège, puis l'université. Lorsque je l'ai rencontrée pour la première fois, elle travaillait depuis une couple d'années; elle avait un important cercle d'amis, dont quelques amies intimes, et vivait avec Alan, un architecte, depuis plus de deux ans. À une exception près, elle était satisfaite de son mode de vie: elle se sentait active, sociable et compétente sur le plan professionnel. Son seul problème résidait dans son obsession au sujet de son poids, des régimes et de la nourriture. Elle mesurait 1,57 m, pesait 58 kilos et se trouvait trop grosse. À plusieurs reprises, elle avait réussi à ne plus peser que 49 kilos, mais elle n'avait jamais pu maintenir ce poids plus de quelques mois. Au moment de notre rencontre, Janet n'était pas loin de son poids maximal.

En cours de thérapie, nous avons retracé les différentes périodes où elle avait soit maigri soit gossi. Nous avons aussi discuté en profondeur des problèmes émotifs de son adolescence qui l'avait poussée dans le syndrome "régimes-crises de boulimie". Ce travail conduisit à deux découvertes importantes. La première était qu'à plusieurs reprises, Janet avait suivi un régime, qu'elle avait perdu du poids et qu'elle s'était alors sentie assez attirante pour avoir des aventures sexuelles avec des hommes. La durée de ces liaisons variait mais, presque inévitablement, son mode d'alimentation passait par trois phases au cours d'une aventure. La première phase, d'environ une semaine, se caractérisait par un manque d'intérêt subit pour la nourriture. C'était, depuis l'âge de treize ans, les seules périodes où Janet ne se soit pas préoccupée de ce qu'elle mangeait. Pendant cette phase, elle n'avait pas faim et prêtait peu d'attention à ce qu'elle avalait. La longueur de la seconde phase était variable. Avec Alan, elle avait continué à suivre son régime d'assez près pendant environ trois mois, sans changement de poids significatif; cependant, elle était considérablement préoccupée par la nourriture. Elle avait de "bons jours" et de "mauvais jours", selon ce qu'elle avait mangé, et vivait dans la terreur de reprendre du poids. Après trois mois, Janet et Alan partirent en vacances ensemble et elle relâcha ses restrictions alimentaires même si son obsession ne la quitta pas. Au fond d'elle-même, elle se jugeait constamment, se blâmant ou se félicitant selon ce qu'elle avalait. Elle avait décidé de se mettre au régime dès le retour des vacances. Entre-temps, elle mangea n'importe quoi et en particulier ce qu'elle s'était interdit depuis des mois. De retour à New York, elle avait pris suffisamment de poids pour se convaincre qu'elle devait se remettre au régime. Pendant les quinze mois qui suivirent, son poids ne cessa de varier; tantôt mince, tantôt grosse, elle était de plus en plus découragée et de moins en moins confiante de trouver un jour une solution définitive à ses problèmes d'alimentation et de poids.

Le cycle était donc celui-ci: perte de poids-liaison sexuelle-gain de poids. Les autres moments où elle avait maigri coïncidaient avec des changements importants dans sa vie: entrée à l'école secondaire; départ de la maison pour fréquenter le collège; départ du collège; début des emplois d'été; début de son année de travail entre le collège et l'université; et retour à New York pour commencer à travailler au centre de désintoxication. Chacune de ces occasions représentait pour Janet un pas de plus vers l'indépendance et l'autonomie. Elle les abordait avec confiance dans un corps mince pour se demander ensuite avec perplexité pourquoi elle retrouvait le réflexe de manger compulsivement si rapidement après s'être installée dans son nouvel environnement.

Au cours de la thérapie, Janet nous a décrit comment elle vivait ses liaisons sexuelles et comment elle abordait ses nouveaux défis scolaires ou professionnels. Peu à peu, il devint évident que les questions de rupture et de sexualité lui causaient des difficultés plus importantes qu'elle ne le croyait. Sur le plan sexuel, elle s'est rendu compte qu'elle pensait n'être acceptable qu'à condition de projeter une image bien précise et d'être mince. Elle devenait alors l'objet de nombreuses attentions de nature sexuelle, qu'elle appréciait, mais qui la menaçaient également parce qu'elle ne savait pas comment éloigner les hommes. Elle ne savait pas non plus si elle était aussi sensuelle que l'image qu'elle projetait parce que dans les périodes où elle engraissait, elle ne se sentait plus du tout sensuelle et ne suscitait pas grand intérêt de nature sexuelle chez les autres. De plus, elle avait peur de ne plus se contrôler et de faire l'amour avec n'importe qui si elle était toujours mince. L'attitude de sa mère la troublait et la blessait; alors qu'au début, elle l'avait encouragée à suivre des régimes, elle lui reprochait maintenant sa pâleur et lui demandait sans cesse si elle n'allait pas disparaître. Janet, malgré ses efforts, n'était pas devenue cette jolie fille que sa mère avait désiré et elle était blessée de l'ambivalence de celle-ci quant à l'acceptation de son nouveau corps. Elle était également troublée par les réactions des hommes: il semblait impossible de plaire en même temps à sa mère et aux hommes...

En décortiquant ses sentiments, Janet découvrit qu'elle se sentait vulnérable lorsqu'elle était mince. Elle avait alors l'impression d'être devenue ce que tout le monde voulait qu'elle soit et cela lui valait, d'une part, la désapprobation de sa mère et, d'autre part, d'innombrables témoignages d'attirance sexuelle. Elle s'aperçut qu'elle s'était sentie incapable d'affronter ces deux types de réaction. La désapprobation de sa mère lui semblait absurde et cela la mettait en colère d'être rejetée ainsi. Et puis, elle ne savait pas quoi faire de toutes ces attentions de nature sexuelle; elle avait l'impression de ne pouvoir dire ni "oui" ni "non" en respectant ses désirs réels. Elle ne se sentait pas à même de choisir quelqu'un qui l'intéressait mais, ce qui était encore plus troublant, maintenant qu'elle avait un beau corps, elle se croyait obligée de projeter cette sexualité qu'elle cachait autrefois sous la graisse.

En travaillant sur le thème de la rupture, Janet a constaté que chaque fois qu'elle avait affronté de nouveaux défis à l'école, au collège, à l'université ou au travail, elle s'était sentie très angoissée par rapport à ce qu'on attendait d'elle, sans toutefois se l'avouer. Elle avait essayé d'enrayer cette angoisse en se contrôlant davantage, c'est-à-dire en suivant un régime très contraignant. Lorsqu'elle avait commencé à fréquenter le collège, elle projetait une image à laquelle elle essayait de croire et de s'identifier, une image d'indépendance, de compétence, d'intérêt et d'enthousiasme. Mais sous cette apparence, par la diète qu'elle s'imposait, Janet dissimulait sa peur de ne pas être à la hauteur, sa crainte de l'ennui et de la solitude et enfin son manque d'assurance. Elle s'avouait rarement ces sentiments et se contraignait plutôt à vivre en fonction de la conception idéalisée qu'elle se faisait d'elle-même mince.

À mesure qu'elle comprenait à quel point elle avait été exigeante avec elle-même dans ses périodes de minceur, elle se rendait compte de tout ce qu'elle investissait dans la minceur et des véritables motifs qui la poussaient à engraisser de nouveau. Être mince était pour elle un état qui ne laissait aucune place à la douleur ou à l'erreur et qui représentait l'indépendance et la sexualité.

Au cours de la thérapie, nous avons travaillé avec Janet pour lui faire prendre conscience que ses expériences antérieures de minceur avaient été épouvantables. Une fois cela acquis, Janet se demanda quels avantages elle associait à son obésité et commença à les intégrer à une image d'elle-même mince. Elle apprit à s'affirmer et à dire "oui" ou "non", qu'il s'agisse de sexualité ou d'autre chose, au lieu d'être à la merci de son poids. Elle examina les sentiments qui lui semblaient inacceptables lorsqu'elle était mince et commença à les formuler directement, au lieu de les cacher sous la graisse; ainsi, lorsqu'elle recommença à maigrir, elle sut qu'elle pouvait les exprimer et n'eut pas à s'inquiéter de ne plus pouvoir les dissimuler. Elle s'accorda le droit d'être mince et d'avoir quand même des problèmes et se persuada qu'il était normal que ses conflits avec sa mère, ses problèmes sexuels, sa colère ou quoi que ce soit d'autre, continuent à exister malgré sa minceur. Être mince ne signifiait pas qu'elle devait régler tous ses problèmes mais simplement qu'elle devait les reconnaître et les accepter. Janet comprit qu'il lui fallait renoncer à l'idée qu'une fois mince, tout devait aller comme sur des roulettes dans sa vie.

Évidemment, dans la réalité, la progression de la thérapie de Janet ne s'est pas déroulée exactement comme je viens de la décrire, un thème s'enchaînant à l'autre et la conduisant directement à la solution. Les prises de conscience et les découvertes se faisaient d'abord brutalement, puis glissaient dans l'ombre pour réapparaître de nouveau. Ce n'est qu'en faisant régulièrement des exercices, en maigrissant lentement, en traversant des crises intermittentes de boulimie et en poursuivant la difficile prise de conscience des implications profondes de ses peurs, que Janet a pu parvenir à une telle vision d'ensemble. Sa thérapie a duré quatorze mois au terme desquels Janet a finalement vaincu sa compulsion alimentaire et maigri. Son poids s'est stabilisé: elle pèse maintenant environ cinquante kilos. Les rendez-vous de contrôle nous ont permis de vérifier que ce que Janet avait appris sur sa façon de manger lui permettait maintenant de maintenir en permanence le poids qu'elle désirait. Elle a trouvé des moyens plus directs de s'affirmer et d'affronter les problèmes de la sexualité et de la féminité que le refuge dans l'obésité.

Examiner les significations qu'elle donnait à l'obésité et à la minceur a permis à Janet de changer l'image qu'elle avait d'elle-même. Elle a réduit l'écart entre la vision de ce qu'elle serait une fois mince et la vision de ce qu'elle est en réalité. Cela l'a amenée à cesser d'entretenir l'espoir irréalisable d'un changement éventuel de sa personnalité.

Comme nous l'avons vu, de nombreuses femmes ont peur inconsciemment d'être minces. Lorsqu'elles le sont, on s'attend à ce qu'elles se conforment à la norme; être mince signifie pour les autres adopter un comportement féminin stéréotypé. Alors, une fois mince, comment se définir soi-même? Toutes ces idées préconçues ont empêché bien des femmes de devenir minces et de le rester. Conscientes ou inconscientes, ces idées doivent être réexaminées pour permettre à chaque femme d'être mince *sans pour autant renoncer à être elle-même.*

Il n'est pas facile de comprendre ce qui pousse une femme à maigrir une semaine pour grossir de nouveau la semaine suivante. En examinant les tensions qui sont à l'origine de ce comportement, j'ai essayé d'identifier les diverses raisons qui nous font craindre la minceur. La principale question que l'on doit se poser individuellement est celle-ci: "Comment pourrais-je être celle que je veux être si mon apparence est conforme à ce qu'elle est censée être?" Il est essentiel de répondre à cette question, parce qu'elle peut nous aider à vaincre une grande partie des difficultés inhérentes au fait d'être une femme mince dans notre société.

NOTES

1. Sharon Rosenburg et Joan Weiner, *The Illustrated Hassle-Free Make Your Own Clothes Book*, San Fran., 1971.
2. Il s'agit d'une coutume juive d'Europe orientale. On donne une gifle pour colorer les joues.

Chapitre 3

L'expérience de la faim chez la mangeuse compulsive

Les femme que je rencontre ont déjà essayé de maigrir par toutes sortes de moyens, y compris l'hypnose, les Weight Watchers Inc., les régimes des médecins spécialistes de l'obésité, les protéines liquides, les coupe-faim et les diurétiques, les Outre-mangeurs anonymes* et la magie. Toutes ces méthodes sont fondées sur des systèmes extérieurs à l'individu. On restreint la consommation de nourriture et on bannit de l'alimentation certains aliments comme la crème glacée, le gâteau et le pain. Tout cela part du principe qu'en réduisant votre consommation de calories (ou d'hydrates de carbone), vous maigrirez. Il y a le régime à l'eau de Stillman, le régime de Atkin et celui de la clinique Mayo; le régime au riz, le régime aux bananes et le régime aux pamplemousses; le régime des buveuses et je pourrais allonger cette liste de quelques dizaines de pages encore. Il y a des millions de régimes et des millions de personnes au régime. Les Américains dépensent environ dix milliards de dollars pour devenir minces et le rester (1).

Tous ces régimes et plans d'amaigrissement ont deux choses en commun. D'abord, le taux de récidive est extrêmement élevé. Les gens perdent beaucoup de kilos mais leur réussite à long terme est beaucoup moins impressionnante (2). Les statistiques sur les taux de réussite à long terme sont extrêmement rares, mais le bruit

* Équivalent des associations américaines connues sous le nom de *Overeaters Anonymous*.

court qu'ils sont scandaleusement bas. Leur deuxième caractéristique commune est de renforcer l'activité compulsive et d'accentuer les stéréotypes culturels liés à la minceur et à l'obésité.

Aucun de ces plans d'amaigrissement n'aborde les questions de fond liées à la compulsion alimentaire: l'expérience de la faim et la nécessité de briser la dépendance envers la nourriture. "Les grosses personnes" ne se rendent pas compte du véritable mécanisme de la faim comme les gens qui ne mangent pas de façon compulsive et dont le poids est "normal" (3). Cela signifie que les mangeuses compulsives ne se fient pas aux gargouillements de leur estomac pour savoir quand manger. Manger se charge pour elles de tellement d'autres significations qu'il est tout à fait inhabituel qu'il s'agisse d'une réaction directe à la faim. L'une des caractéristiques de la compulsion alimentaire est de manger de façon à ne jamais sentir la faim. La condamnation sociale de l'obésité accentue ce problème; dans notre société, les grosses personnes y réagissent ainsi; "L'obésité est malsaine. Je devrais toujours être en train d'essayer de maigrir et il est évident que je ne devrais pas aimer le nourriture." Généralement, les mangeuses compulsives classent les aliments en deux catégories: les "bons" et les "mauvais". Tous les régimes sont fondés sur le principe que la nourriture est dangereuse. Ce n'est que par des privations sévères que la mangeuse compulsive peut se racheter, maigrir et commencer à profiter de la vie. Les mécanismes de la faim, auxquels les mangeuses "normales" se fient, subissent donc une distorsion. Suivis pendant des années, les deux schémas: se sentir coupable de manger puis se priver au point de s'affamer, éloignent énormément la mangeuse compulsive de l'expérience de la faim et de la capacité de la satisfaire.

Ces distorsions du processus alimentaire plongent la mangeuse compulsive dans la confusion, alors que toute la gamme des plans d'amaigrissement l'infantilise et diminue considérablement son contrôle sur sa propre alimentation. Quiconque a déjà suivi un régime n'ignore pas jusqu'à quel point la structure en est rigide: les diètes sont les "camisoles de force morales" des mangeuses compulsives *Lorsqu'elles se tournent vers les diètes, toute la compulsion qui caractérisait leur façon de manger est canalisée vers une nouvelle obsession: respecter leur régime*. Observez ces règles, mangez ce que les "autorités" vous disent de manger. Et, par-dessus tout, faites ce que les femmes savent si bien faire' privez-vous! Même les régimes soi-disant libéraux ("Mangez gras et restez minces", "Mangez autant de légumes que vous le désirez", etc.) reposent sur une structure qui dépossède la femme de son corps. "Mangez des bananes sept fois par jour; pesez soigneusement 110 grammes de poisson et 85 grammes de fromage râpé; buvez un verre de jus d'orange sans pulpe par jour et autant de thé et de café que vous le désirez; mangez dans une seule assiette et avec des baguettes; mangez toujours au même endroit ou au même moment; prenez toujours un petit déjeuner consistant; mangez des féculents et évitez les graisses; évitez les graisses mais mangez des aliments à haute teneur en protéines; maigrissez *et trouvez/gardez l'homme de votre vie*." Mais, surtout, ne vous faites jamais, au grand jamais, confiance pour décider ce que vous voulez manger, ce que vous aimez manger, ni quand, ni comment vous mangerez.

La mangeuse compulsive connaît, essentiellement, deux réalités; l'alimentation compulsive (hors de son contrôle) ou la diète compulsive (le carcan). Être une mangeuse compulsive, c'est être une droguée, une intoxiquée de la nourriture. Les mangeuses compulsives ont autant besoin de la nourriture que le drogué de son héroïne, ou l'alcoolique de son alcool; elles consacrent autant d'énergie à lutter contre leur dépendance. Elles vivent le syndrome du sevrage — la diète ou le jeûne — et cherchent des substituts — leur méthadone s'appelle céleri ou fromage cottage. Comme le drogué ou l'alcoolique qui ne lutte pas continuellement contre l'héroïne ou l'alcool, la mangeuse compulsive est piégée dans un rapport antagoniste avec la nourriture qu'elle désire et à laquelle elle "cède" parfois. Comme le drogué qui cherche désespérément l'argent et le contact qui lui permettront d'avoir sa prochaine dose, la mangeuse compulsive consacre une somme incroyable d'énergie psychique à résoudre le problème de ce qu'elle mangera ou ne mangera pas. Finalement, comme l'héroïne "calme" le drogué et l'alcool "abrutit" l'alcoolique, la boulimie "engourdit" la mangeuse compulsive.

Il y a quelque chose de curieux dans la dépendance de la mangeuse compulsive: si vous jetiez un coup d'oeil dans sa cuisine ou si vous observiez ce qu'elle mange en public, vous pourriez en conclure que certains aliments sont "illégaux". La présence de certains aliments est si rare, et leur absorption si clandestine, qu'on pourrait croire que des pénalités sont prévues par la loi pour leur possession et/ou leur consommation. Tout se passe comme si les aliments eux-mêmes répondaient à une classification digne d'un législateur: consommer des glaces et des frites est un acte criminel, manger des bananes et de la crème, un délit, et la nourriture en général est une infraction. Et, de fait, une organisation bien connue, visant à faire maigrir les gens, utilise précisément ces catégories pour classer les aliments: certains sont "légaux" et peuvent être mangés en quantités illimitées, d'autres sont illégaux et leur consommation est sévèrement réglementée. Qui plus est, on incite la mangeuse compulsive à prononcer sa propre sentence et à le faire publiquement, comme d'autres organisations l'exigent du drogué ou de l'alcoolique. Ce type de démarche transforme la nourriture en ennemie, en danger mortel que l'on doit sans cesse combattre. Mais, paradoxalement, manger le "fruit défendu" devient du même coup un délice des dieux, un merveilleux plaisir, bien que de courte durée.

Cependant, contrairement aux autres intoxiqués, la mangeuse compulsive peut trouver un soulagement temporaire dans le fait de ne pas manger. Ne plus manger signifie qu'elle est "bonne" et évoque immédiatement les images merveilleuses des récompenses qui lui viendront de la minceur. Contrairement au préjugé populaire qui en fait une gourmande, la mangeuse compulsive a peur de la nourriture et de ce qu'elle peut lui faire. De brefs épisodes de privation lui permettent de ne plus se sentir responsable de ce qu'elle mange. La nourriture est perçue tour à tour comme une drogue, comme une potion magique, comme un poison, comme quelque chose d'indispensable à la vie, de suffocant, de tentant, mais à peu près jamais comme un aspect de la vie particulièrement agréable. C'est de cette peur de la nourriture que lui vient son appétit insatiable. Elle peut ingurgiter des quantités incroyables de nourriture mais, la plupart du temps, elle ne goûte pas les trois boîtes de biscuits, les dix bâtonnets de céleri, les quatre sacs de croustilles et la pizza surgelée qu'elle peut dévorer en l'espace de quelques instants. Elle mange avec une telle culpabilité qu'elle en tire très peu de plaisir. Pendant la crise de boulimie, la mangeuse compulsive a l'impression qu'elle ne parviendra jamais à se rassasier et elle se gavera d'aliments parfois peu appétissants, comme des céréales sèches, par exemple. Les aliments doivent être mangés le plus rapidement possible; ainsi, ils cessent d'être dangereux. Une fois absorbés, la crise est passée et la mangeuse compulsive se retrouve avec ces sentiments désagréables et familiers qu'entraîne toujours l'épisode boulimique.

Manger de façon compulsive signifie manger sans tenir compte des signaux physiologiques révélateurs de la faim. Les gens qui n'ont jamais eu de mal à reconnaître les tiraillements d'estomac prennent pour acquis que cela signifie que leur corps a besoin d'être nourri. Ils seront peut-être abasourdis de constater jusqu'à quel point la mangeuse compulsive est peu consciente de ce mécanisme; celle-ci sera tout aussi étonnée si on lui dit que les gens qui n'ont pas de problèmes avec la nourriture se fient à leur estomac pour savoir ce qu'ils vont manger, à quel moment et en quelle quantité. Pour la mangeuse compulsive, la nourriture a tellement d'autres significations qu'elle a perdu, depuis longtemps, sa fonction biologique évidente.

Le mot "faim" évoque généralement le désir de manger. Le corps a épuisé ses réserves et a besoin d'être nourri. Dans nos sociétés occidentales, satisfaire sa faim est une expérience sociale. Bien que l'on ne sache pas avec certitude ce qu'est exactement la faim, et ce qui contrôle l'appétit et la satiété, le fait que la mangeuse compulsive mange très rarement en réponse aux signaux de l'estomac qui signalent la faim crève les yeux. Lorsque nous parlons de cette posssibilité de manger en fonction de la faim et de se débarrasser ainsi du syndrome compulsif, les gens sont avides de comprendre cet aspect de leur physiologie qu'ils ignorent depuis si longtemps. Si l'on rejette son propre corps, il y a un énorme fossé entre son moi et "lui" et ce sentiment d'étrangeté brouille la réception des signaux qu'il nous fait parvenir. Si vous n'avez jamais eu l'impression que votre corps était bien comme il était, ou du moins acceptable, et que vous l'avez toujours perçu comme encombrant, laid ou désagréable d'une façon ou d'une autre, il vous semblera très risqué de vous fier à ce qu'il essaie de vous dire. Ce serait comme de céder les commandes à un ennemi. Au contraire, écouter un corps que vous avez toujours considéré comme un allié signifie posséder ce corps, c'est-à-dire prendre ses besoins au sérieux et cesser de tenir compte d'un grand nombre de modèles extérieurs auxquels vous aviez essayé de vous conformer. L'origine de la distorsion du mécanisme de la faim n'est pas claire et elle peut commencer très tôt dans la vie. Ce qui est certain, c'est que plusieurs jeunes femmes commencent à fausser ce mécanisme en s'efforçant de transformer leur corps au moment de la puberté. Une analogie fera peut-être mieux comprendre ce processus de distorsion à celles pour qui il est extrêmement difficile de saisir ce qu'est la faim et quelle serait une réaction appropriée à ce signal de l'organisme. Prenons l'exemple d'un chatouillement dans la gorge qui serait soulagé par une toux, ou encore d'un picotement dans les narines qui déclencherait un éternuement; ces réactions sont pratiquement involontaires et peu de gens souffrent d'un besoin continuel de réprimer une toux ou un éternuement, sauf à des moments très particuliers, pour des raisons de politesse.

Prenons maintenant un autre exemple où l'acte est moins automatique: si votre vessie est pleine, vous éprouvez le besoin d'uriner. Là encore, la plupart des gens apprennent très tôt à reconnaître sans hésitation ce besoin et ne se préoccupent pas de le satisfaire plus ou moins souvent que les autres ou d'éliminer telle ou telle quantité d'urine: ils font confiance à leur corps. La vessie sera plus ou moins pleine, mais le désir de se soulager sera assez évident et ce besoin, facile à identifier. Ces trois activités physiologiques sont toutes soumises à l'autorégulation, et la satisfaction des besoins repose sur la reconnaissance de signaux précis. Cela est également vrai du mécanisme de la faim. Le bébé a la possibilité de développer un rapport harmonieux entre ses divers besoins physiologiques; il peut apprendre à identifier les signaux de la faim et à se sentir satisfait une fois qu'il est rassasié. La certitude d'obtenir satisfaction découle d'une interaction positive entre lui et son entourage. Si le bébé pleure parce qu'il a faim et qu'on le nourrit, s'il pleure pour avoir de l'affection et qu'on lui en donne, c'est donc que ses signaux sont interprétés adéquatement et qu'il obtient ce qu'il désirait. Ainsi, plus tard, l'enfant saura qu'il peut aussi se faire confiance, à la fois pour identifier et pour satisfaire ses besoins.

Bien des femmes aux prises avec un problème de compulsion alimentaire ne se font pas confiance: elle n'ont pas l'impression de pouvoir reconnaître les signes de la faim et de manger de manière à les satisfaire. Non seulement le processus de la faim a été perverti par des années de régimes et d'excès alimentaires, mais elles se souviennent souvent de leur alimentation au cours de la puberté comme d'une activité torturée, pleine d'obstacles et très conflictuelle. En retournant en arrière, on peut émettre l'hypothèse que les tout premiers signaux des besoins physiologiques d'une telle femme ont été mal interprétés par sa mère, de sorte qu'elle confond encore plusieurs types de sensations physiques. Si, par exemple, chaque fois qu'un enfant pleure, on le console en lui donnant à manger, la nourriture prend alors un rôle de consolateur. Toutefois, si la couche du bébé était mouillée ou si le bébé désirait un contact physique, la nourriture ne lui donnera pas satisfaction et ne le consolera pas; et, qui plus est, elle ne lui permettra pas de développer une confiance en son propre corps. Nourrir l'enfant lorsqu'il exprime d'autres besoins physiques l'éloigne de son corps et perturbe sa capacité d'identifier à la fois sa faim et sa satiété. Cette distorsion précoce pourrait bien être un facteur important dans le malaise qu'éprouvent plusieurs femmes vis-à-vis de leur propre corps; malaise qui les rend beaucoup plus vulnérables à la manipulation par une société qui leur dicte ce dont elles *devraient* avoir l'air et ce qu'elles *devraient* manger. Si l'on ne croit pas être en mesure de satisfaire ses propres besoins, les règles extérieures nous apparaissent comme des sources d'information dignes de confiance. Les pâtisseries rivalisent avec les plans d'amaigrissement lorsqu'une femme cherche à savoir comment prendre soin d'elle. Souvent, les mangeuses compulsives décrivent leur manière de s'alimenter dans des termes qui confirment notre hypothèse selon laquelle les mécanismes de satisfaction de leurs besoins auraient été perturbés dès leur plus jeune âge. Daphné, une libraire de trente-deux ans, décrit ses rapports avec la nourriture comme la quête de quelque chose qui lui manque. "Lorsque j'ouvre le réfrigérateur, je sais que ce n'est pas vraiment de la nourriture que je cherche, mais autre chose que je n'ai pas." Ce quelque chose qui manque finit par causer un malaise généralisé et une profonde insécurité; elle n'a pas suffisamment confiance en elle pour satisfaire adéquatement ses propres besoins.

Cet exposé sur la faim et la distorsion de son mécanisme n'est pas destiné à jeter le blâme sur les mères qui interprètent mal les besoins physiologiques de leurs enfants. Il est vrai qu'en tant que principales, sinon seules responsables des enfants, elles se trompent souvent sur les besoins de leurs bébés; mais une explication qui s'arrêterait là laisserait de côté des enjeux cruciaux pour toutes les femmes. La véritable question est de savoir *pourquoi* les mères donnent de la nourriture à leurs enfants lorsque ce n'est pas ce qu'ils désirent? Pourquoi sont-elles toujours prêtes à offrir de la nourriture lorsque l'enfant exprime un malaise? Quelles forces sociales produisent ce genre de réflexe maternel? Cherchons la réponse dans la position sociale de la femme. Ce n'est que dans son rôle maternel que la femme est acceptée sans équivoque: elle est censée être attentive à son enfant et le nourrir au propre comme au figuré. Nous avons à peu près toutes été élevées à une époque où prendre soin des enfants était considéré comme un rôle exclusivement féminin. Les femmes étaient censées être les seules à pouvoir s'occuper adéquatement de leurs enfants; les seules à pouvoir établir ce lien émotif indispensable à un développement "sain". Cependant, même si on en fait la personne la plus importante dans la vie quotidienne du bébé, la mère n'est pas considérée comme une experte dans l'éducation des enfants. Au contraire, on l'incite à s'en remettre aux connaissances de toute une gamme de spécialistes — pédiatres, psychologues de l'enfance, analystes, nutritionnistes — qui lui diront quand et comment nourrir son enfant, ce qu'elle doit et ne doit pas lui donner à manger. La plupart des "experts" se contredisent entre eux et, à mesure que les modes changent, s'empressent d'ajuster les théories de chacune de leurs disciplines respectives aux idéologies du moment.

D'une part, on proclame que la mère est la seule à pouvoir prendre soin des enfants et, d'autre part, on considère qu'elle n'est pas assez compétente pour accomplir cette tâche et qu'elle doit se fier aux opinions contradictoires des "experts". Dans ce contexte, il n'est pas étonnant que la mère ne fasse pas confiance à son intuition pour répondre aux besoins de son enfant. Tour à tour déifiée puis sous-estimée, il lui est difficile d'être sûre d'elle-même et de ses réflexes. On peut facilement imaginer que cette insécurité est encore renforcée par le fait que le rôle maternel lui soit imposé. Pour la femme, la maternité est trop souvent vécue comme son unique chance d'avoir un impact social, une influence sur le monde (par l'intermédiaire de l'enfant). La mère risque donc de ressentir à la fois des sentiments de plaisir, d'insuffisance, de peur, d'insécurité, de ressentiment ou d'enthousiasme qu'elle exprime ensuite dans sa relation avec l'enfant. Sa peur de ne pas être à la hauteur peut l'amener à gaver son enfant en le nourrissant automatiquement chaque fois qu'il pleure, tout comme le ressentiment qu'elle éprouve d'être seule à s'en occuper peut l'amener à le négliger. Mais un autre facteur peut intervenir: lorsque l'enfant pleure et exprime sa détresse et, s'imagine la mère, son impuissance, elle peut se percevoir comme le parent qui doit y répondre mais elle peut aussi voir ressurgir en elle les douloureux sentiments de privation de sa propre enfance. Si *nous* sommes des "mères inadéquates", nous sommes aussi les filles de "mères inadéquates" qui ont été elles-mêmes des filles. Si la distorsion de la relation nourricière est attribuable aux pressions sociales inhérentes à la relation mère/fille, cela est également vrai pour nos mères comme filles, et pour les mères de nos mères comme filles. Tant et aussi longtemps que la société partriarcale exigera que les femmes apprennent à leurs filles à accepter une position sociale inférieure, la tâche de la mère sera inévitablement perturbée par des tensions qui se manifesteront souvent dans l'interaction mère/fille autour de la nourriture.

L'expérience de la faim ne sera plus, dès lors, le motif premier de la mangeuse compulsive pour ingurgiter de la nourriture. Pour elle, l'alimentation ne sera plus une activité soumise à l'autorégulation mais une espèce de force extérieure qui l'attire, lui plaît, puis la trahit. Une fois obèse, elle se convaincra très probablement qu'elle n'a pas le droit de manger, comme si l'obésité ne pouvait s'excuser qu'au prix de privations, comme si les gens obèses n'avaient le droit de vivre qu'à condition de ne pas manger. Les gens obèses sont une catégorie à part du reste de la population. Alors que la publicité nous incite à manger de plus en plus, les chroniques sur l'amaigrissement, les spécialistes de l'obésité, les magazines de mode et leurs amis et amies conseillent aux obèses de manger moins. Mais dire à une mangeuse compulsive de maîtriser quelque chose qu'elle croit hors de son contrôle ne réussit qu'à augmenter ses sentiments d'impuissance et de culpabilité: impuissance devant son apparente faiblesse, et culpabilité devant n'importe quel aliment qu'elle mange. Cette culpabilité lui rend encore plus malaisé de savoir ce qu'elle *aimerait* manger, parce qu'elle est obnubilée par ce qu'elle *devrait* et ne *devrait pas* manger. Pour elle, la nourriture est dangereuse et prendre plaisir à manger lui donne l'impression de commettre un péché, parce qu'elle ne mérite pas ce plaisir et qu'elle n'y a pas droit. Elle mange vite et, souvent, presque en cachette.

Une mangeuse compulsive expliquerait ce qu'elle vit à peu près dans les termes de l'une ou de l'autre de ces descriptions:

1.L'ÉVÉVEMENT SOCIAL: "Je n'ai jamais faim au repas du soir mais j'aime que nous mangions tous ensemble parce que *cela me donne l'impression* que nous sommes une famille heureuse lorsque nous nous retrouvons à table. Pour moi, l'important dans les repas, ce n'est pas tellement la nourriture mais le symbole de l'intimité familiale."

2.LA FAIM DE LA BOUCHE: "Il faut vraiment que je me mette quelque chose dans la bouche même si je n'ai pas vraiment faim".

3.LA PRÉVENTION DE LA FAIM: "Je n'ai pas faim en ce moment mais je risque d'avoir faim d'ici quelques heures et de ne rien avoir à me mettre sous la dent, alors je ferais mieux de manger tout de suite."

4.LA NOURRITURE BIEN MÉRITÉE: "J'ai eu une journée vraiment éprouvante. Je vais me remonter le moral avec une bonne bouffe."

5. LE PLAISIR ASSURÉ: "Manger des friandises, c'est mon seul plaisir. Je ne connais pas de meilleur moyen de me dorloter."

6. LA FAIM NERVEUSE: “Il faut que je mange quelque chose! Qu’est-ce que je pourrais me mettre sous la dent?”

7. LA FÊTE: “Cette journée a été tellement merveilleuse, il faut que je fête ça! Un éclair au chocolat ne peut pas me faire de mal.”

8. LA NOURRITURE CONTRE L’ENNUI: “Je ne suis pas d’humeur à faire quoi que ce soit pour l’instant... Je vais me préparer un bon sandwich.”

Les régimes compulsifs ne tiennent pas davantage compte de la faim physiologique. La femme au régime mange en fonction d’une série de règles préétablies qui permettent ou interdisent certains aliments; elle mange des repas choisis par d’autres sans se demander ce que désire vraiment son corps et à quel moment.

Nous travaillons à partir du postulat selon lequel les mangeuses compulsives ne se permettent pas vraiment de manger et que, par conséquent, elles se gavent ou elles se privent. Chaque fois qu’une mangeuse compulsive commence un régime, elle se dit que quelque chose ne va pas dans son comportement et que, par conséquent, elle doit se priver. Elle se sent coupable et décide de se punir en niant ses besoins. Ainsi, la mangeuse compulsive s’autorise rarement le plaisir simple et direct que peut procurer la nourriture. Un cercle vicieux s’installe. Bien qu’elle puisse manger tout ce qui lui tombe sous la main lorsqu’elle n’est pas au régime, par peur des privations imminentes, elle ne profite pas de la nourriture. “Hier, j’ai dévoré vingt biscuits en dix minutes. Demain je commence un régime et je ne pourrai plus en manger, alors j’en ai profité pendant qu’il en était encore temps. Ensuite, il va falloir que je sois sage.” Mais ces vingt biscuits expriment aussi sa révolte contre les interdictions et les privations.

La mangeuse compulsive peut se sortir du syndrome boulimie-régime en commençant par se percevoir comme une personne "normale", et par considérer le mot "grosse" comme un terme strictement descriptif, sans connotations positives ou négatives. Une fois qu'elle commence à se sentir "normale", elle peut se mettre à manger comme une personne "normale". Cela signifie différencier la faim réelle de la faim psychologique et manger pour assouvir sa faim réelle; cela veut dire aussi manger assez pour satisfaire son appétit et manger n'importe quoi au moment précis où on en a envie (que ce soit des beignes ou du steak). Après tout, les gens qui n'ont pas de problèmes d'alimentation compulsive ne se privent d'aucun aliment de façon délibérée. Si l'on observe leur comportement vis-à-vis de la nourriture, on s'aperçoit qu'ils mangent de manière très diversifiée et que, selon les jours, leur conception d'une "alimentation saine" peut varier considérablement. Il est également important de constater qu'à l'occasion, ces personnes font des excès pour le simple plaisir de céder à la gourmandise. Elles ne se servent pas de la nourriture comme d'un substitut à d'autres besoins et ne lui donnent pas d'autres significations. *Autrement dit, nous cherchons à rompre l'habitude compulsive des femmes de s'empiffrer puis de se priver plutôt que de leur dicter ce qu'elles doivent manger et à quel moment.*

Découvrir ce que vous aimeriez manger, en quelle quantité et à quel moment, n'est pas aussi simple qu'on pourrait le croire. Les pressions de la mode et de l'"industrie des régimes", qui dépense des sommes incalculables pour s'assurer que les femmes ne choisiront pas elles-mêmes ce qu'elles veulent porter et manger, renforcent l'idée que la mangeuse compulsive est irresponsable, incapable de se contrôler, négligente et détestable.

Au niveau psychologique, l'expérience de la faim peut aussi être effrayante. La mangeuse compulsive peut se sentir angoissée à l'idée de ne pas être en mesure de satisfaire sa faim physiologique: "Si je ne m'empiffre pas et que je ne me mets pas au régime, qu'est-ce que je ferai? Comment est-ce que je saurai quelle quantité manger? Peut-être que je ne pourrai jamais m'arrêter!"

Remettre en cause le concept de "la femme-enfant" peut aussi sembler terrifiant. Si vous êtes à même de répondre aux signaux de la faim que vous fait parvenir votre organisme, cela vous engage à la satisfaire vous-même et à commencer à vivre en harmonie avec votre corps. Constater que vous êtes capable de prendre soin de vous vous permet de voir la femme comme une adulte avec les droits et les privilèges dont jouissent les autres adultes (les hommes). Cela signifie prendre vos besoins au sérieux et essayer de les satisfaire. Mais les femmes ont appris toute leur vie à être à l'écoute *des besoins des autres* et à combler *les besoins des autres*. Votre lutte pour savoir ce que vous voulez manger et pour satisfaire vos propres besoins changera la façon dont vous répondrez aux besoins des autres. À mesure que vous apprendrez à vous fier à votre capacité de vous nourrir adéquatement, vous découvrirez la possibilité de réagir plus explicitement aux besoins des autres. "Si je peux prendre soin de moi-même pour ce qui est de la nourriture, si je peux dire "oui" à ce que je désire et "non" à ce que je ne veux pas, alors je peux m'avouer, *et exprimer aux autres*, mes désirs à d'autres niveaux et me sentir davantage responsable des autres aspects de ma vie."

Être capable de distinguer et d'affirmer ses propres désirs est une expérience nouvelle que notre société a systématiquement déniée aux femmes.

Lorsque la mangeuse compulsive s'imagine comme une femme adulte et mince et qu'elle croit qu'ainsi tout devrait aller comme sur des roulettes dans sa vie, elle se conforme à une image extérieure de la féminité plutôt que de faire confiance à la femme qu'elle est. "Si je suis mince, et que j'ai l'air d'une "vraie femme", je devrai être productive, énergique, heureuse et aimante." Bien que ce genre de pensées relève de fantasmes, elles n'en sont pas moins puissantes et effrayantes. La lutte pour être une femme autonome et pour se définir soi-même est ardue, d'autant plus que l'expression d'une véritable personnalité féminine trouve très peu d'écho et d'appui.

Dans notre travail avec les mangeuses compulsives, nous consacrons énormément de temps à déceler et à démystifier les divers fantasmes associés à la minceur et à l'obésité. Parallèlement, nous travaillons aussi sur les aspects plus pratiques de l'alimentation et nous trouvons ensemble de nouvelles approches de la nourriture et de la faim. Il s'agit tout d'abord de ne pas porter de jugement sur ce que nous mangeons, peu importe ce que c'est, et d'apprendre plutôt à observer comment nous mangeons. Apprendre à ne pas juger notre alimentation est loin d'être facile: on ne balaye pas d'un seul coup les années passées à essayer de se conformer à des règles. De plus, apprendre à observer un aspect de notre personnalité que nous rejetons depuis si longtemps exige une bonne dose d'acceptation de soi. Il faut avoir assez de confiance en soi pour ne pas tenir compte des jugements de nos mères, des magazines féminins, de nos maris, de nos amants, de nos amis et amies, des médecins spécialistes de l'obésité et des nutritionnistes. Travailler avec un groupe de femmes qui suivent la même démarche peut être d'un grand secours.

La première étape consiste à comprendre notre mode d'alimentation, c'est-à-dire à identifier avec précision les moments où nous nous sentons particulièrement vulnérables et qui sont donc propices à des crises de boulimie et les moments où, au contraire, nous nous sentons à l'aise avec la nourriture. En notant ce que nous mangeons, nous recueillons des données et nous apprenons à nous observer. Ce rôle d'observatrice vous permettra de constater qu'il y a une partie de vous qui mange et une autre partie qui fait d'autres choses, y compris observer. Lorsque vous aurez rompu avec l'idée que vous n'êtes qu'une obsédée de la nourriture, vous serez prête à devenir une personne "normale" qui aime manger comme les gens "normaux".

Nous amorçons alors la seconde étape en passant de l'observation à l'action. D'abord, nous commençons par établir la différence entre la "faim de la bouche" et la "faim de l'estomac". Prenez le risque de vous passer de nourriture pendant quelques heures jusqu'à ce que vous ressentiez physiquement de la faim. Vous la sentirez très probablement au niveau de l'estomac, bien que certaines personnes la perçoivent au niveau de la poitrine ou de la gorge. Lorsque vous pourrez différencier les deux types de faim, concentrez-vous sur ce que vous ressentez pendant une ou deux minutes. Est-ce rassurant ou effrayant? Les souvenirs que vous associez à cette sensation sont-ils agréables ou déplaisants? Souvent, les premières sensations conscientes de la faim déclenchent des associations douloureuses que vous voudrez peut-être examiner de plus près, seule ou en groupe. Mimi, une femme avec qui j'ai travaillé, a découvert que lorsqu'elle se laissait avoir faim, elle prenait conscience de toute une gamme d'émotions physiques qu'elle avait réussi jusqu'ici à détourner d'elle. Elle se trouvait sensuelle. Ces émotions sexuelles la mettaient très mal à l'aise parce qu'elle en était venue à penser à la sexualité comme à quelque chose de mal, ou d'inconvenant pour elle. En discutant du sens de cette découverte, elle a appris à distinguer la sensation de la faim d'une sexualité culpabilisante. Une autre femme, Betty, s'est souvenue d'avoir eu faim quand elle était encore enfant et qu'il n'y avait pas assez à manger sur la table familiale. Et Martha, que sa famille avait forcée à manger, s'est aperçue qu'elle associait la sensation de la faim au fait d'avoir d'accepté ce que lui avaient imposé ses parents. Ces démarches personnelles étaient enrichies par une analyse féministe des problèmes particuliers qu'avait vécu chacune de ces femmes. Ainsi, en examinant la réaction de Mimi à ses sensations sexuelles, nous avons cherché où et comment elle avait appris que la sexualité était un péché, tant pour elle que pour les femmes en général. En nous attardant sur la faim de Betty lorsqu'elle était enfant, nous avons discuté de toutes ces pauvres mères qui se privent de nourriture quand il n'y en a pas assez et qui encouragent leurs enfants à manger. Betty a découvert qu'elle se niait plus qu'il n'était nécessaire en s'identifiant à sa mère aux repas familiaux. Être une femme signifiait pour elle se sacrifier. La capitulation de Martha devant la nourriture traduisait son ambivalence vis-à-vis de son départ du foyer familial, problème particulièrement aigu chez les femmes qui, traditionnellement, ne partaient de chez leurs parents que pour se marier. Examiner ce type d'associations avec la nourriture peut nous être très utile pour retrouver les racines de nos problèmes avec la nourriture. Lorsque vous aurez appris à donner à votre corps exactement ce qu'il veut, vous pourrez transformer ces tiraillements d'estomac en une sensation agréable parce que vous les interpréterez comme un message signalant que votre corps a envie de quelque chose de délicieux.

La prochaine étape consiste à manger autant que possible mais seulement lorsque vous ressentez la "faim de l'estomac". Ne vous inquiétez pas trop si cela vous paraît difficile au départ, parce que quiconque a un problème de compulsion alimentaire cédera inévitablement, à l'occasion, à une faim de la bouche. Mais essayez de percevoir votre corps comme un instrument très perfectionné qui apprécie que vous le traitiez avec amour. S'il a très faim, il pourra vouloir une bonne quantité de nourriture, et s'il n'a que peu d'appétit, il se contentera de quelques bouchées. Sachant cela, et ayant appris à reconnaître une "faim de l'estomac", essayez d'identifier avec précision de quel aliment ou de quelle boisson vous avez envie; autrement dit, une fois que vous ressentez des tiraillements d'estomac, essayez de trouver ce qui pourrait satisfaire votre appétit. Parfois, ce sera très facile et vous saurez immédiatement ce que vous voulez, mais, souvent, à cause de toutes ces années de régimes et d'interdictions, vous aurez du mal à le trouver et ce petit exercice pourra vous aider.

Fermez les yeux et demandez-vous: "Quelle sorte de sensation physique est-ce que j'éprouve? Comment pourrais-je la satisfaire le mieux possible? Ai-je envie de quelque chose de croquant, de salé, de mou, d'humide, de sucré? Ça y est, j'ai envie de croustilles. Imaginons ce que ce serait que de manger des croustilles. Non, ce n'est pas tout à fait ce dont j'ai envie. Du chocolat peut-être?..."

Ainsi, avant de manger l'aliment choisi, vous aurez déjà imaginé la sensation que vous éprouverez en le consommant. Pendant l'exercice, imaginez le goût de la soupe, sentez-le descendre dans votre estomac, la sensation de mordre dans les noix, l'odeur du pain frais. Trouvez exactement ce dont vous avez envie, et mangez. Mangez autant que votre corps le désire. Savourez chaque bouchée. Régalez-vous.

Assez souvent, aucun aliment ne s'imposera spontanément et il peut y avoir deux raisons à cela. Il se peut que vous ayez faim mais que vous ne puissiez pas identifier ce dont vous avez envie. Mangez un peu d'un aliment que vous aimez et attendez que le message soit plus clair. Vous avez peut-être attendu trop longtemps pour manger et votre estomac se contracte sans savoir ce qui pourrait le calmer. Mais il se peut aussi que ce ne soit pas de nourriture dont vous ayez besoin et il est alors important de rassasier cette autre "faim" que vous ressentez, par des caresses, des larmes, un bain,une conversation téléphonique ou une course en plein air. *Si c'est autre chose que vous désirez, aucun aliment ne vous satisfera.* Au mieux, la nourriture vous soulagera temporairement en atténuant ces émotions qui émergent. Le problème, c'est que manger dans ces circonstances ne sert qu'à masquer d'autres pulsions et, en vous éloignant d'elles, à vous empêcher de vous occuper de vous adéquatement. Essayez de savoir quel besoin émotif vous désirez combler en mangeant et demandez-vous si cela peut le satisfaire. À mesure que vous comprendrez mieux combien cette façon d'agir est frustrante, vous pourrez trouver d'autres moyens de satisfaire vos besoins. Si vous avez l'habitude de manger de façon compulsive en particulier dans des moments de bouleversement, cela vous rassurera de savoir que vous pouvez vous nourrir en fonction de votre faim physique et vous laisser de la place pour ressentir votre détresse. Comme Carol Bloom l'explique dans son manuel (5): "La plupart des mangeuses compulsives mangent davantage et encore plus mal pendant les périodes de stress, ce qui ne fait qu'accentuer leur inconfort et leur anxiété. Ne pas manger pendant ces périodes (alors que vous n'en avez pas envie),c'est vous dire une fois de plus: "Je peux m'occuper de moi, tenir compte de mes besoins. C'est une façon de ne pas me laisser tomber dans les périodes difficiles."

Pour bien des gens, certains aliments ont une signification particulière et sont associés à des humeurs et à des souvenirs précis: s'ils sont en colère, mordre dans une carotte crue les soulage et prendre un jus leur donne de l'énergie. La nourriture peut être un moyen d'expression. Je ne suis pas en train de vous conseiller de passer votre rage sur une carotte et de ne pas l'exprimer ailleurs, mais tout simplement de vous rappeler que l'essentiel est de vous dorloter avec la nourriture, de vous permettre de faire de chaque moment où vous mangez une expérience agréable et d'interpréter vos tiraillements d'estomac comme le signal qu'il est temps de vous faire plaisir. Ne vous souciez pas des règles sur les heures de repas ou l'équilibre alimentaire. Nous ne croyons pas qu'il existe de bons aliments et de mauvais aliments. *Nous croyons que nos corps peuvent nous dire quoi manger, comment équilibrer notre alimentation et comment maigrir.* Le corps est un système autorégulateur si on lui permet de fonctionner. Ne vous souciez pas de l'apport en calories ou en hydrates de carbone. Prenez un comprimé multivitaminé tous les jours jusqu'à ce que vous ayez l'impression que votre organisme a retrouvé son équilibre autorégulateur.

Ces suggestions (mangez lorsque vous avez faim, mangez autant que vous le voulez) peuvent ressembler à de nouvelles règles que vous êtes censée observer. D'une certaine façon, c'est effectivement le cas. Mais nous les considérons plutôt comme des conseils utiles pouvant vous permettre de faire confiance à vos mécanismes physiologiques; il ne s'agit pas de lois mais d'aide-mémoire dont vous vous servirez jusqu'à ce que vous puissiez vous faire entièrement confiance. En un sens, les étapes que vous venons d'expliquer ne sont rien d'autre qu'une description, séquence par séquence, de ce que vivent les gens qui mangent "normalement".

La première étape vers un rapport "normal" avec la nourriture consiste à être attentive à votre manière de vous nourrir. Si vous pouvez dire "oui" à un aliment en particulier, vous avez la possibilité de dire "non" à d'autres aliments selon le moment. Dire "non" est très important dans une démarche autonome mais la possibilité de refuser repose sur la possibilité de dire "oui" sans culpabilité et sans arrière-pensée.

D'autres petits trucs peuvent vous aider à démystifier votre rapport avec la nourriture. Essayez de laisser une bouchée de ce que vous mangez dans votre assiette, ou une gorgée dans votre verre ou votre tasse. D'une part, cela vous permettra de commencer à exercer un certain pouvoir sur la nourriture et à diminuer votre sentiment d'être insatiable; d'autre part, vous vous habituerez ainsi à refuser de la nourriture. Cet exercice a aidé Élizabeth, une femme de trente-huit ans, mère de trois enfants, qui a vécu son enfance en Angleterre pendant la Deuxième Guerre mondiale; il lui a permis de rompre avec cette habitude qu'elle avait prise très jeune de vider son assiette sans tenir compte de son appétit. Elle se souvenait de sa mère, debout près de la table, l'enjoignant de ne jamais laisser une miette parce que les soldats risquaient leur vie pour qu'elle puisse manger. La nourriture était rationnée, les friandises très rares, et Élizabeth ne savait pas quand elle pourrait à nouveau se mettre quelque chose sous la dent.

Faites l'expérience de remplir votre frigidaire et vos armoires d'aliments "interdits" et dont vous avez peur. Un jour, nous avons réussi à persuader une femme du groupe d'apporter chez elle tous les ingrédients nécessaires pour confectionner soixante-quinze *sundaes**. Lorsque nous lui avons proposé d'emplir son réfrigérateur de crème glacée, de caramel, de noix et de crème Chantilly, elle s'est exclamée: "Mais je vais tout manger!" L'idée lui semblait sacrilège. Nous lui avons fait remarquer que si elle avait assez de provisions pour nourrir une petite armée et qu'elle arrivait à se prouver qu'elle ne mangerait pas tout cela d'un coup, elle se sentirait beaucoup plus forte et capable de contrôler ses pulsions alimentaires. Elle a appris à aimer la crème glacée et à la traiter en "amie" qui pouvait lui procurer du plaisir lorsqu'elle en avait envie plutôt qu'en "ennemie" à vaincre. Elle a aussi pris l'habitude d'acheter ses marques et ses parfums préférés. Si vous avez vraiment envie d'une glace au café, la glace au chocolat qui se trouve dans votre réfrigérateur ne sera qu'un médiocre

---

* Glace aux fruits recouverte de noix, de caramel ou de chocolat, et de crème Chantilly. (N.D.T.)

substitut. *Il vaut mieux acheter exactement ce qui vous tente que de manger indistinctement ce qui vous tombe sous la main.*

Les seuls obstacles qui peuvent vous empêcher de satisfaire vos désirs alimentaires seront d'ordre financier. Il est ennuyeux d'avoir envie de saumon fumé lorsque votre porte-monnaie ne vous permet que quelque chose de moins dispendieux. Mais réfléchissez bien. Combien d'argent dépensiez-vous pour vous procurer des aliments diététiques, des livres de régimes et pour satisfaire vos crises de boulimie?

Dans nos groupes, nous jouons à un jeu qui nous aide à fixer notre attention sur certains aliments, et qui nous permet d'écarter l'idée qu'il est dangereux d'avoir de bonnes choses à manger à la maison. Il s'agit d'imaginer que nous avons une pièce remplie de nos aliments préférés et que nous avons toutes ces bonnes choses au goût merveilleux à notre disposition. Nous imaginons ensuite quelles seraient nos réactions. La première réaction de la plupart des gens est d'avoir peur. "Je ne sortirai plus de la maison! Je n'arrêterai jamais de manger!" Puis, après y avoir réfléchi une minute ou deux, nous constatons que les gens se sentent en sécurité et protégés par toute la nourriture qui les entoure. Ils trouvent même autre chose à faire que de préparer les repas et manger. Si la nourriture est là, s'ils savent qu'elle ne disparaîtra pas toute seule, ils commencent alors à profiter de la vie, et à manger pour vivre et non plus à vivre pour manger.

Le travail que vous faites pour identifier votre faim physique et pour apprendre à la satisfaire peut s'accompagner d'un examen des problèmes psychologiques qui vous empêchent de combler vos besoins alimentaires de manière adéquate. Par exemple, si vous avez de la difficulté à ressentir votre faim, soyez attentive à la fois aux sensations physiques éprouvées par votre corps et aux facteurs psychologiques qui vous empêchent d'être à l'écoute de vos besoins physiologiques. Ces facteurs psychologiques peuvent être très variables: il peut s'agir des doutes que vous entretenez sur votre capacité à prendre soin de vous-même, et de ce que cela pourrait signifier que de la faire. Il se peut que vous ayez l'impression d'usurper le pouvoir de quelqu'un d'autre si vous êtes généreuse envers vous-même. Une femme a découvert qu'en commençant à prendre ses propres besoins au sérieux, elle remettait en question son rôle au sein de la famille, rôle qui consistait à satisfaire les besoins des autres tout en ignorant les siens. S'accorder la priorité en matière de nourriture fut d'abord problématique pour elle parce qu'elle avait l'impression de négliger ses enfants. Par la suite, elle s'est aperçue qu'à mesure qu'elle se permettait de manger ce dont elle avait envie, les membres de sa famille apprenaient à devenir plus autonomes sur le plan de leur alimentation. Les heures des repas devinrent beaucoup moins rigides, chacun se débrouillant pour préparer ce dont il avait envie. Cela mettait même un certain désordre dans la cuisine; en fin de compte chaque membre de la famille était de plus en plus en mesure de déterminer ses besoins nutritifs et, par ricochet, de prendre davantage de responsabilités dans d'autres secteurs du travail ménager.

Certaines personnes constateront que lorsqu'elle commencent à se sentir moins dépendantes envers la nourriture en général, certains aliments continuent de garder des propriétés “magiques”. Une des femmes avec qui j'ai travaillé mangeait inexplicablement des bonbons à certains moments de sa journée de travail. Nous avons découvert qu'en mangeant des "douceurs", elle essayait de s'adoucir elle-même, de se rendre agréable alors qu'elle se sentait plutôt en colère. Elle avait l'impression que: "Les femmes ne devraient pas se mettre en colère; c'est désagréable. Je ferais mieux de m'adoucir, d'être gentille." En fait, elle se fâchait chaque fois que son patron la traitait de façon particulièrement méprisante. Bien que sa fonction officielle consistât à faire de la recherche, on s'attendait également à ce qu'elle "serve", qu'elle prépare le café et qu'elle fasse en sorte de plaire aux hommes qui venaient dans son bureau. Ces attentes sont des exemples de l'inégalité sexuelle qui prévaut si souvent dans le monde du travail et, comme bien d'autres femmes, cela l'enrageait d'être ainsi "féminisée". En groupe, nous avons élaboré des scénarios lui permettant d'être plus sûre d'elle-même avec son patron et de discuter avec lui, par exemple, d'autres solutions pour la préparation du café. Lorsqu'elle arriva à imposer une situation plus équitable au travail, elle ressentit beaucoup moins souvent le désir de s'emplir furtivement la bouche de bonbons et de sucreries. Cela ne signifie par pour autant que toute sa colère s'était évanouie. Tant qu'il y aura des patrons, il y aura des frictions entre les employés et les employeurs. Cependant, le fait que le groupe comprenne sa colère et l'accepte a permis à cette femme de dissocier celle-ci de ses activités alimentaires.

De tout ce que je viens d'expliquer, il est important de se souvenir que notre objectif premier n'est pas de maigrir. *Pour la mangeuse compulsive, le plus important est de rompre sa relation de dépendance envers la nourriture.* Même si la perte de poids est habituellement la preuve que vous avez échappé à cette dépendance, notre but premier est de vous amener à vous sentir plus à l'aise devant la nourriture. Nous n'insisterons jamais assez sur ce fait. *Le problème que nous voulons résoudre est celui de la dépendance envers la nourriture, dépendance similaire à celle du drogué ou de l'alcoolique.* Nous sommes convaincues que l'obsession de grossir ou de maigrir entrave le processus qui consiste à apprendre à aimer la nourriture et à manger ce que votre corps désire. Bien que votre méthode ne ressemble en rien à un raccourci miraculeux, les idées sur lesquelles elle repose vous permet d'établir une relation plus naturelle et plus détendue avec la nourriture et avec votre corps.

NOTES

1. L'industrie des régimes amaigrissants est extrêmement rentable. Voir à ce sujet:
   Natalie Allon, "The Stigma of Overweight in Everyday Life". John E. Fogarty International Center for Advanced Study in the Health Sciences. Vol. II, 2e partie. National Institute of Health, Bethesda, Md., Édité par George A. Bray. DHEW publication. U.S. Govt printing office. 1-3 octobre 1973, pp 83-102.
2. Les différentes organisations ne parlent pas du taux de récidive. Cependant, si on s'en tient à certaines sources,ce taux serait de 95 p. cent. Voir à ce sujet:
   Aldebaran, "Fat Liberation — A Luxury", *State and Mind 5,* juin — juillet (1977): 34.
3. Stanley Schachter, "Obesity and Eating", *Science* 161, (1968): 79.
4. Voir à ce sujet:
   A. O. Stunkard et H. M. McClaren, "The Results of Treatment for Obesity", Archives of Internal Medicine 103, (1959): 79.
   Stanley Schachter, "Some Extraordinary Facts About Obese Humans and Rats", *American Psychologist* 23 (1971): 129.
   Stanley Schacter, "Obesity and Eating", Science 161 (1968): 751.
5. Carol Bloom, "Training Manual for the Treatment of Compulsive Eating and Fat". Thèse de maîtrise, State University of New York at Stony Brook (1976).

Chapitre 4

Vers la solution

Si vous vous percevez comme une mangeuse compulsive, vous connaissez presque à coup sûr d'autres femmes dans la même situation. Vous avez très probablement suivi des régimes, jeûné ou fait des orgies de nourriture avec des amies, même si la compulsion alimentaire peut aussi s'avérer une activité solitaire, presque "masturbatoire". Les femmes qui souffrent de compulsion alimentaire ont tendance à rechercher des personnes compréhensives et compatissantes: il est vrai que seules celles qui souffrent du même problème peuvent l'être vraiment. Si vous ne trouvez aucune autre mangeuse compulsive parmi vos proches, vous pouvez mettre une affiche à votre collège, au centre communautaire ou au centre des femmes pour rejoindre d'autres femmes susceptibles de vouloir créer un groupe d'entraide. Si vous êtes réticente à travailler en groupe, vous pouvez facilement faire seule les exercices que nous vous proposons. Toutefois, je vous suggère d'envisager le travail de groupe, et ceci pour plusieurs raisons.

Certaines de ces raisons sont d'ordre pratique et d'autres tiennent à la nature même du problème. Sur le plan pratique, il n'y a pas assez de thérapeutes pour répondre à la demande de thérapies individuelles pour les mangeuses compulsives. Lorsqu'il y aura un plus grand nombre de mangeuses compulsives qui, après avoir réglé leur problème, mettront sur pied des groupes d'entraide pour aider d'autres femmes, il sera alors plus facile d'offrir des thérapies individuelles. Pour l'instant, je voudrais souligner les avantages du travail de groupe et vous proposer un modèle de fonctionnement pour un groupe d'entraide.

Pour celles qui ne connaissent pas ces amitiés cimentées par des obsessions alimentaires communes, rencontrer d'autres femmes qui souffrent du même problème peut être un énorme soulagement; le seul fait d'en parler peut dissiper cette horrible impression d'être un monstre unique et une ratée irrécupérable. Même les femmes qui ont discuté interminablement avec des amies de leurs obsessions alimentaires s'apercevront peut-être que ces conversations tournaient finalement toujours autour des régimes et des aliments de régime. Explorer avec d'autres femmes et de façon explicite notre relation avec l'obésité et la minceur peut s'avérer une expérience sécurisante et réconfortante. *Pour certaines femmes, c'est comme sortir de la clandestinité. Cela est particulièrement vrai pour celles qui ont réussi à maintenir leur poids dans les normes culturellement acceptables, de sorte qu'elles seules connaissent l'existence de leur problème de compulsion alimentaire.* Pour d'autres, c'est le réconfort d'un milieu compréhensif où elles peuvent enfin exprimer l'angoisse et la douleur d'une vie centrée sur la nourriture. Elles n'ont plus à se justifier d'être grosses ou obsédées par la nourriture, elles peuvent se permettre de parler honnêtement des calculs insupportables auxquels elles se livrent chaque fois qu'elles avalent une bouchée, et de la terreur qu'elles ressentent tous les matins en se demandant si c'est une "bonne journée" ou une "mauvaise journée" qui les attend. Elles n'ont plus à faire semblant d'avoir un appétit d'oiseau. Elles peuvent, peut-être pour la première fois, parler ouvertement de leur alimentation et sonder les sentiments complexes qu'elles éprouvent vis-à-vis de leur corps. Pour toutes les femmes du groupe, cela peut être le premier endroit où elles n'ont pas l'impression d'avoir à s'excuser d'exister. Par-dessus tout, le groupe est un lieu d'entraide pour résoudre un problème qui risque de sembler insoluble tant qu'on est seule.

En plus de rompre l'isolement, le travail collectif peut s'avérer bénéfique à bien d'autres égards. Toutes les femmes du groupe souffrent du même problème et, même si c'est la compulsion alimentaire qui les rapproche, ce regroupement peut permettre à chacune de modifier sa perception d'elle-même et de mieux définir sa personnalité propre. Je m'explique: le fait de se retrouver dans un groupe qui accepte que l'on soit une mangeuse compulsive peut permettre de dépasser cette conception limitée de soi. À mesure que l'on s'aperçoit que les autres mangeuses compulsives ou les autres femmes obèses ont d'autres caractéristiques personnelles que leur obésité, et que l'on constate que l'obésité n'a rien à voir avec la beauté, la créativité, l'énergie ou la générosité, on peut commencer à percevoir ces caractéristiques en soi.

Ainsi, lorsque Joy apprend à connaître Mary, une autre femme du groupe, et découvrir que c'est une femme gentille, vive d'esprit et tenace, elle peut concevoir qu'elle aussi, au-delà du fait qu'elle soit obèse, possède d'autres qualités. Elle peut élargir sa perception de l'obésité et ne plus en faire automatiquement un synonyme de répulsion et de rejet. Obèse devient alors un qualificatif parmi d'autres qui peut être associé à d'autres qualificatifs: belle, horrible, gracieuse, affreuse, polie, gentille, avare ou généreuse. L'obésité devient une caractéristique parmi d'autres et non plus le caractère dominant de l'individu. Les gens sont bien davantage que chacune de leurs caractéristiques et même que la somme de celles-ci. Si vous avez une grosse poitrine et qu'elle vous obsède, quoique vous en disiez, vous êtes bien autre chose qu'une "grosse paire de seins". Mais si vous avez été définie par les autres, ou si vous vous êtes définie vous-même, uniquement comme quelqu'un d'une taille particulière — et surtout si cette définition a des connotations négatives, comme "obèse" — il vous sera difficile de ne pas être accablée par cette caractéristique. Se définir de manière plus large en y intégrant d'autres caractéristiques que l'obésité est d'une importance cruciale; cela signifie qu'en renonçant à l'obésité, vous n'aurez pas l'impression de renoncer à tout ce que vous êtes (une peur courante) parce que vous aurez la certitude d'être autre chose. Joan avait l'impression que son obésité était la seule chose qui lui appartenait en propre dans la vie; elle s'y raccrochait avec ténacité parce qu'elle redoutait, en la perdant, de perdre en même temps son essence. Le groupe lui a été d'un grand secours en l'obligeant à se voir à travers les yeux des autres qui acceptaient son obésité et cherchaient en elle d'autres caractéristiques pour la définir. Elle a compris que chaque femme du groupe était unique et avait sa personnalité propre, au-delà de l'obésité. Elle a pu constater qu'elles gardaient cette personnalité tout au long de la thérapie, quelles que soient les variations de leur poids. C'est ainsi que Joan a finalement réussi à dissocier le caractère unique de sa personnalité et son individualité de son obésité.

Le travail de groupe remplit d'autres fonctions importantes. L'obésité transmet des messages au monde extérieur; en discutant de l'affirmation de soi, beaucoup de femmes constatent qu'elles ne savent pas dire "oui" ou "non" directement. Elles entretiennent le fantasme selon lequel leur obésité répondrait à leur place. Dans le contexte d'une thérapie de groupe, où l'obésité de chacune a une signification différente, il devient vite évident que le message dont l'obésité est investie ne passe pas nécessairement. Il est certain que chez un individu qui manque d'assurance, l'obésité atteint rarement l'objectif qu'on lui fixe même en dehors du groupe, mais le fantasme persiste tout de même. Dans le groupe, non seulement la femme *peut* commencer à s'exprimer directement, mais elle *doit* le faire. Sans articulation spécifique, la signification "magique" de l'obésité ne parviendra jamais au monde extérieur. Les membres du groupe peuvent s'entraider dans leurs efforts pour changer cette situation: le groupe leur offre une tribune pour tenter de se servir de leur bouche, *pour parler* et dire ce qu'elles veulent, ce qu'elles ressentent ou ce qu'elles pensent, au lieu de continuer à espérer que leur obésité parlera à leur place. Prendre des risques de cette nature est souvent plus facile en groupe. Celles qui manquent le plus d'assurance peuvent expérimenter auprès du groupe diverses façons de s'affirmer. Les autres femmes peuvent vous donner des conseils perspicaces et vous encourager dans vos efforts. En thérapie individuelle, le feed-back est nécessairement plus limité.

En discutant des images évoquées par la minceur, certaines femmes ont exprimé des fantasmes du genre: "Mince, je serai compétente, attirante, équilibrée; tout ira bien dans mes relations avec les autres... bref, je serai parfaite." Les femmes du groupe peuvent s'entraider pour renoncer à des attentes aussi irréalistes, ne serait-ce par exemple qu'en se rappelant que lorsqu'elles étaient minces, leur vie n'était pas toujours aussi merveilleuse ni aussi facile. Ce genre d'histoires peuvent aider les autres à abandonner des idées de perfection qui mènent à une lutte contre soi-même où l'on est inévitablement perdant. Mais, ce qui peut s'avérer encore plus utile, c'est qu'il y aura probablement dans le groupe des femmes de toutes les grosseurs et, parmi elles, une ou deux dont le poids représente l'idéal des autres. Ces femmes, les "minces compulsives", ont confiné leur problème dans certaines limites physiques et sont aussi minces que la société l'exige. Pourtant, leur minceur n'a pas tout réglé dans leur vie, et ce constat peut être une leçon inestimable pour celles qui s'imaginent que la minceur est le paradis terrestre. Maigrir reprend alors son sens réel et n'est plus synonyme de transformation radicale de la vie.

En plus d'aider les femmes à se redéfinir, le groupe peut aussi fournir un moyen direct d'affronter la compulsion alimentaire. Dans un groupe de mangeuses compulsives, on concentre toujours notre réflexion sur ce que l'obésité et la minceur signifient dans la vie actuelle de chaque femme, dans son passé, ou encore au moment présent, avec les femmes du groupe. Tout se passe comme si, à force de discuter et d'analyser les fonctions protectrices de l'obésité, elles cessaient de faire effet auprès des autres membres du groupe, et que les femmes devaient alors chercher de nouvelles façons de se protéger sans se fier à leur obésité. C'est une expérience d'apprentissage qui leur permet de constater qu'elles possèdent d'autres mécanismes de défense. Maigrir devient alors moins terrifiant.

Inévitablement, au cours de la thérapie, les femmes voient leur poids varier selon les périodes; elles peuvent donc voir que certaines ont maigri et qu'il ne leur est rien arrivé de terrible. Ainsi, Jill et Margot, qui étaient de tailles différentes, craignaient toutes deux d'avoir à affronter leurs pulsions sexuelles si elles maigrissaient. Toutes deux avaient vécu leurs périodes de minceur comme des périodes d'activité sexuelle intense. Dans le travail de groupe, toutes deux ont compris combien ces expériences de minceur/sexualité les avaient terrifiées et appris qu'avant de maigrir encore, elles devraient se convaincre que la minceur n'entraînait pas nécessairement une activité sexuelle débridée. Margot fut la première à perdre beaucoup de poids; elle continua à se répéter qu'elle pouvait être mince sans pour autant exprimer sa sexualité tant que cela lui faisait peur. Pendant ce temps, Jill commença à intégrer des activités sexuelles à sa vie, ce qui lui prouva qu'elles n'étaient pas réservées exclusivement à ses périodes de minceur. Elle cessa peu à peu de craindre les conséquences de la minceur. Jill fut très rassurée par le comportement nouveau et sélectif de Margot; elle cessa à son tour de penser que la sexualité était associé au poids, que grosse, elle ne pouvait pas faire l'amour et que, mince, elle y était obligée. Pour toutes deux, l'interaction fut extrêmement précieuse. Jill a constaté qu'une femme à qui elle s'identifiait fortement pouvait réussir quelque chose qui lui semblait autrefois impossible: maigrir sans perdre le contrôle de sa sexualité. De façon similaire, Margot a appris de Jill qu'on pouvait être sensuelle quel que soit son poids. Cette constatation la rassurait beaucoup parce qu'elle souhaitait avoir un enfant et qu'une grande partie de sa peur d'être mère tenait à l'idée préconçue qu'elle ne pourrait plus faire l'amour pendant sa grossesse. Elle se disait qu'elle serait alors trop grosse pour être sexuellement désirable. Le fait de voir Jill maintenir une activité sexuelle malgré son obésité, ce que toutes deux croyaient au départ impossible, permit à Margot de reconsidérer ses idées sur le rapport entre la sexualité et le poids. De toute évidence, le poids de Jill ne l'empêchait pas d'être sexuellement attirante et cela la réconfortait.

Le travail en groupe présente des avantages importants que vous saisirez mieux à mesure que j'expliquerai le modèle de fonctionnement d'un groupe d'entraide. Mais tout d'abord, je voudrais vous faire quelques suggestions pour vous aider à mettre sur pied votre groupe.

Selon mon expérience, le groupe ne doit pas être trop restreint; idéalement, on y réunira entre cinq et huit femmes. Pour débuter, vous aurez intérêt à être un peu plus nombreuses en prévision des défections presque inévitables. L'âge, le poids et les origines culturelles ne semblent pas avoir de répercussions sur les résultats de la thérapie. Évidemment, ces facteurs teinteront l'atmosphère du groupe.

Il est très important d'établir d'avance la durée des sessions et de respecter cet horaire de semaine en semaine: je vous conseille des sessions d'environ deux heures et demie pour un groupe de huit et d'environ une heure et demie pour un groupe de cinq. Cette durée fixe est importante pour plusieurs raisons. D'abord, comme dans tout groupe de thérapie, cela permet de déterminer des heures spécifiquement réservées à l'exploration psychologique. La durée de la session doit être précisée parce que la question des limites, du commencement et de la fin, est une question cruciale à plusieurs niveaux pour les mangeuses compulsives. Deuxièmement, si la durée est clairement délimitée, chaque membre du groupe s'efforcera problablement davantage et de façon plus systématique de satisfaire ses besoins particuliers pendant la session; ceci diminuera les sentiments d'insatisfaction et d'insatiabilité si fréquents chez les mangeuses compulsives. Les sessions prennent alors une autre signification puisqu'une période de temps fixe leur est consacrée et qu'elles s'intègrent ainsi à la routine quotidienne et hebdomadaire comme des moments de réflexion et d'exploration.

Les femmes se joindront très probablement au groupe en s'attendant à ce que leur participation à ce travail thérapeutique les fasse maigrir de façon spectaculaire et quasi instantanée. Bien qu'il soit difficile de renoncer à ce genre d'attentes, il faut mettre l'accent sur le fait que l'objectif immédiat n'est pas la perte de poids. L'objectif du travail de groupe est de rompre avec la relation de dépendance face à la nourriture et toute la démarche qui suit tend vers ce but. Pour y parvenir, le groupe aura intérêt à aborder le problème à deux niveaux simultanément. Le premier est l'exploration des significations symboliques de l'obésité et de la minceur pour chacune des femmes du groupe et le deuxième consiste à trouver de nouvelles manières d'approcher la nourriture et de réagir à la faim. Mais avant de décrire les grandes lignes des toutes premières rencontres, je voudrais faire une parenthèse, qui me semble essentielle, sur ce que je connais du fonctionnement des processus psychologiques.

Tout symptôme comme l'alimentation compulsive a une raison d'être: nous ne développerions pas de symptômes si nous avions d'autres moyens d'exprimer notre détresse. Il ne faut pas essayer d'éliminer des symptômes sans avoir d'abord identifié leur origine et leur fonction. De plus, si l'on n'élabore pas d'autres stratégies pour affronter les conflits sous-jacents aux symptômes, l'individu risque de se sentir très vulnérable. Dans les cas extrêmes, certaines personnes développeront de nouveaux symptômes en réaction à la précarité de leur situation. Si nous nous contentons d'éliminer le symptôme, comme la compulsion alimentaire, non seulement nous sous-estimons sa portée en le traitant comme une "petite folie" qu'il faut extraire "chirurgicalement", mais nous risquons, justement à cause de sa portée, de produire un "transfert de symptôme". Rien ne sert de cesser de manger compulsivement d'un jour à l'autre si l'on doit se retrouver avec un autre problème (comme l'anxiété ou l'insomnie). Ce que j'essaie d'expliquer, c'est qu'une femme qui change sa façon de vivre parce qu'elle a maigri risque de souffrir d'anxiété si elle n'a pas d'abord réglé les peurs que déclenche chez elle ce nouvel état. Sans la protection de son obésité, elle se sentira probablement effrayée et sans défense. Si elle ne mange plus pour engourdir ses sentiments et qu'elle ne peut les contenir, elle risque de les transformer en anxiété. J'utilise le terme "anxiété" pour décrire cet état où l'individu ressent un malaise profond et une très grande vulnérabilité qu'elle est incapable de surmonter par ses propres moyens.

L'anxiété est une réaction à une émotion trop envahissante, effrayante ou inacceptable. Bien que pénible, l'anxiété semble alors plus sécurisante et plus tolérable pour l'individu que l'émotion ou l'événement qu'il se sent incapable d'affronter. Sara, par exemple, avait très peur de ses colères; elle avait l'impression qu'elles pouvaient la détruire. Si cette colère durait plus d'une seconde, se disait-elle, elle balayerait tout sur son passage, y compris sa famille, ses amis et amies. Cette peur est assez courante chez les femmes et s'explique en grande partie par le tabou qui entoure toute expression ouverte de colère féminine. Sara se mettait alors à être effrayée par sa propre colère et, comme elle se sentait incapable d'y faire face, elle la transformait en anxiété. Le diagramme que vous trouverez plus bas pourra vous aider à comprendre ce processus.

Lorsque Sara comprit que se laisser aller à des pensées colériques ne signifiait pas qu'elle passerait à l'action — c'est-à-dire qu'elle étranglerait tout le monde — elle cessa de transformer sa colère en anxiété; elle apprit à la ressentir et à la laisser passer, avec l'impression de pouvoir la contrôler.

SARA ÉPROUVE UN SENTIMENT INACCEPTABLE DE COLÈRE

ELLE A ENVIE "D'ÉTRANGLER" TOUT LE MONDE

SARA EST EFFRAYÉE PAR SA COLÈRE

SARA RÉAGIT À CETTE PEUR ET CESSE DE RESSENTIR SA COLÈRE

SARA RESSENT DE L'ANXIÉTÉ ET ÉCARTE SON ÉMOTION RÉELLE

Cette digression sur l'anxiété permet d'expliquer comment un rejet brutal de la compulsion alimentaire peut déclencher l'apparition d'un autre symptôme, issu du même sentiment refoulé, si celui-ci n'a pas été suffisamment analysé et accepté. C'est pourquoi je tiens à souligner une fois encore les faits suivants.

1. Renoncer à l'obésité est un processus graduel exigeant un travail émotif parallèle à la perte de poids.
2. Les peurs liées à la minceur doivent être identifiées et affrontées.
3. Il faut établir de nouveaux modes de fonctionnement.
4. Il faut mettre à jour les émotions conflictuelles liées à l'alimentation et au poids.

Ces mises en garde ne signifient toutefois pas qu'il faille restructurer toute la personnalité pour qu'un symptôme, comme la compulsion alimentaire, puisse disparaître. Selon notre expérience, traverser les étapes énumérées plus haut peut permettre de rompre avec la compulsion alimentaire. Le fait d'apprendre à s'occuper adéquatement de soi en matière d'alimentation génère énormément de confiance en soi.

Lors de la première rencontre du groupe, nous adoptons le fonctionnement suivant: la session se divise en deux périodes, dont la première est consacrée à une exploration préliminaire des significations symboliques de l'obésité et de la minceur pour chaque femme du groupe. Comme il est probable que vous fassiez ce travail sans l'aide d'une animatrice, une des membres du groupe pourra enregistrer d'avance le texte qui suit afin que vous puissiez toutes vous livrer à cet exercice en même temps. La lectrice devra faire des pauses là où il y a des points de suspension; l'exercice devrait prendre au total une quinzaine de minutes. Les femmes doivent garder le silence tout au long de l'exercice et retenir les images qu'il déclenche pour pouvoir en discuter ensuite avec les autres.

Installez-vous aussi confortablement que possible... Fermez les yeux... et imaginez-vous au milieu d'une réception... Vous engraissez... de plus en plus... vous êtes maintenant beaucoup plus grosse... Comment vous sentez-vous?... Imaginez les gens qui vous entourent... Comment vous sentez-vous parmi eux?... Que se passe-t-il dans cette réception?... Êtes-vous assise ou debout?... Immobile ou en mouvement?... Que portez-vous?... Comment vous sentez-vous dans vos vêtements?... Sont-ils le reflet de votre personnalité?... Observez la situation dans tous ses détails... Êtes-vous en interaction avec les autres invités?... Êtes-vous à l'écart ou en train de parler, danser ou manger avec les autres?... Avez-vous l'impression de participer activement à ce qui se passe ou d'en être exclue?... Faites-vous en sorte d'entrer en relation avec les autres ou est-ce les autres qui viennent à vous?... Maintenant, demandez-vous ce que votre graisse "dit" aux gens qui vous entourent... Transmet-elle un ou des messages en particulier?... Est-ce que votre obésité vous facilite les choses d'une façon ou d'une autre?... Essayez de surmonter votre répulsion pour votre graisse et de voir si votre poids vous donne certains avantages dans cette réception?... Imaginez-vous maintenant que toute cette graisse fond et disparaît et que vous êtes aussi mince que vous voudriez l'être... Vous êtes à la même réception... Que portez-vous maintenant?... Quelle image projettent vos vêtements?... Comment vous sentez-vous dans votre corps?... Vous mêlez-vous aux autres invités?... Et maintenant, vous sentez-vous davantage intégrée ou davantage exclue?... Les gens viennent-ils à vous ou est-ce vous qui faites les premiers pas?... Essayez de voir si le fait d'être mince vous effraie d'une façon ou d'une autre dans cette situation... Essayez de dépasser votre émerveillement d'être mince et demandez-vous si cela vous cause des problèmes d'une manière ou d'une autre... Maintenant, imaginez-vous obèse de nouveau... et, de nouveau, mince... Continuez à aller de l'un à l'autre en essayant de voir ce qui change...

Une fois l'exercice terminé, racontez-vous ce que vous avez imaginé, à tour de rôle. Décrivez ce que vous avez pensé au présent; cela vous facilitera les choses: "Je suis dans une grande fête sur le bord de la plage, il fait très chaud et je porte une robe en tissu éponge pardessus mon maillot de bain. J'essaie de ne pas attirer l'attention et je me sens très mal à l'aise..." Ne vous inquiétez pas si les scénarios vous semblent très différents et même contradictoires; les similarités se dégageront peu à peu. Parlez toujours au "je" et laissez chacune décrire son expérience dans ses propres termes. Des généralisations trop rapides à partir d'une expérience individuelle risquent de causer des frictions inutiles. L'exercice soulève de façon plus concrète les notions et les concepts expliqués dans ce livre. Vous découvrirez inévitablement d'énormes différences entre votre perception de vous-même grosse et mince. Vous pourrez constater par exemple que, grosse, vous vous imaginez assise, en train de bavarder alors que mince, vous êtes le centre d'attraction de la soirée; ou encore, que grosse vous êtes seule,et mince, en train de danser avec tout le monde. Les images de minceur, plus particulièrement, risquent de ressembler aux conceptions populaires que nous avons déjà décrites, ou à vos souvenirs d'une époque où vous étiez mince. Lorsque vous discuterez de cet exercice, pensez au genre de femme que, selon vous,

vous devez devenir (ou deviendrez) une fois mince. Après avoir réfléchi quelques minutes sur cette image, demandez-vous si elle correspond à votre personnalité. Votre personnalité "mince" vous est-elle étrangère ou, comme l'expliquent certaines femmes, à ce point différente de votre image habituelle que vous avez l'impression d'avoir deux personnalités distinctes, la grosse et la mince?

Dès la première rencontre, et lors des rencontres suivantes, nous soulevons inlassablement les deux questions suivantes, parce qu'elles sont au coeur même de la solution pour trouver d'autres moyens de défense que l'obésité:

1. Qu'est-ce que l'exercice m'a appris sur moi et que je promets de ne pas oublier une fois mince?
2. Qu'est-ce qui m'a fait peur pendant l'exercice et que je me promets de ne pas m'obliger à faire une fois mince?

Au cours de cet exercice, obèse, Maureen s'imaginait assise en train de bavarder avec quelqu'un puis se transformait par sa minceur en vedette de la soirée. En réfléchissant sur ces deux situations, elle remarqua combien elle se sentait à l'aise et en sécurité à bavarder tranquillement avec une amie comparativement à l'excitation et à l'anxiété associées au fait d'être très séduisante. Identifier les aspects négatifs qu'elle associait à la minceur ainsi que les avantages qu'elle éprouvait à être grosse a permis à Maureen de comprendre que pour maigrir de façon permanente, elle devait accepter qu'une fois mince, elle n'aurait pas toujours envie de briller. Elle a constaté que sa conception de la minceur, en apparence agréable et gratifiante, ne correspondait pas à sa personnalité et que si maigrir signifiait changer du tout au tout, ce n'était ni possible ni désirable. Briller sans cesse était insupportable pour une femme qui aimait les conversations dans une atmosphère détendue et intime. *C'est précisément cette perception modifiée de vous-même qui vous fait engraisser à nouveau lorsque vous avez réussi à devenir mince: il est excessivement stressant d'essayer d'être une femme tout à fait différente de celle qu'on a toujours été.* Maureen a donc pris la résolution suivante: si elle maigrissait, elle ne renoncerait pas à cette partie d'elle-même qui aimait les conversations dégagées. Pour cela, il lui a fallu accepter que son envie de bavarder avec une amie n'était pas le fait de son obésité mais de son caractère et, d'autre part, que si elle avait envie de briller à l'occasion, rien ne l'obligeait à attendre d'être mince pour se permettre de le faire. Un excédent de poids ne vous empêche pas d'être la "vedette" d'une soirée, ni de quitter les coulisses pour aller sur la scène.

J'ai utilisé l'exemple de Maureen pour deux raisons; d'abord parce que ce genre de problème est fréquent et, deuxièmement, parce qu'il illustre bien la démarche de la thérapie. Il est évident que les femmes ne constateront pas toutes dès la première séance qu'il existe un écart aussi marqué entre la perception qu'elles ont d'elles-mêmes lorsqu'elles sont obèses, puis minces. L'exercice que nous vous avons suggéré permet simplement à la mangeuse compulsive de préciser ce que signifient pour elle l'obésité et la minceur. Par la suite, nous continuons à nous demander quelles attentes irréalisables nous entretenons face à la minceur, et ce à quoi nous croyons devoir renoncer une fois mince. Ces questions doivent revenir sans cesse dans le groupe; elles aident à établir une image de soi qui ne varie pas avec son poids.

Une fois que toutes ont raconté le scénario qu'elles ont imaginé pendant l'exercice et, possiblement, après avoir constaté certains recoupements, nous passons à la deuxième partie de la séance: l'aspect pratique du travail de groupe pour trouver de nouvelles manières d'aborder la nourriture et la faim. Nous commençons par un autre exercice d'une quinzaine de minutes destiné celui-là à clarifier les sentiments liés à la nourriture et à trouver des solutions de rechange. Enregistrez d'avance le texte qui suit ou demandez à quelqu'un de le lire. Installez-vous le plus confortablement possible.

Fermez les yeux... Maintenant, je voudrais que vous vous imaginiez en train de manger dans votre cuisine... Faites le tour de la pièce et faites l'inventaire des aliments qui s'y trouvent... Qu'y a-t-il dans le réfrigérateur... dans les armoires... dans la jarre à biscuits... dans le congélateur... Cela ne devrait pas vous être très difficile, parce que vous savez probablement où chaque aliment se trouve, y compris les friandises et les aliments diététiques... Que pensez-vous de ce bilan?... Vous est-il douloureux de constater que généralement les aliments que vous vous permettez d'avoir chez vous et de manger soient aussi peu variés et peu appétissants?... Pensez à ce que votre cuisine vous rappelle sans cesse... Maintenant, rendez-vous à votre centre d'achats favori, ou dans une rue pleine de boutiques d'alimentation, bref, là où vous trouverez la plus grande variété d'aliments — fruits et légumes, viandes et poissons, charcuteries, produits laitiers, pain et pâtisserie, etc. — et imaginez que vous disposez d'une somme d'argent illimitée... Prenez un charriot, ou même deux, et emplissez-les de tous vos aliments préférés... Promenez-vous et ne choisissez que les aliments les plus appétissants et les plus tentants... Ne vous limitez pas... Si vous aimez le gâteau au chocolat, achetez-en plusieurs, assez pour être convaincue qu'il est humainement impossible de tout manger d'un seul coup... et assurez-vous de prendre le gâteau que vous préférez vraiment... Ne vous pressez pas... vous avez tout votre temps et vous pourrez acheter absolument tout ce dont vous avez envie... Admirez tous les étalages et emplissez votre charriot... Vérifiez s'il ne vous manque rien et rentrez chez vous en taxi avec vos paquets... Vous êtes seule à la maison pour le reste de la journée... La maison, et en particulier la cuisine, vous appartient... Profitez-en... Rangez vos aliments... Comment vous sentez-vous dans une maison pleine de nourriture pour vous seule?... Avez-vous l'impression de commettre un péché ou de vous faire plaisir?... Cette abondance de nourriture pour vous seule vous rassure-t-elle ou, au contraire, vous fait-elle peur?... Regardez tous ces aliments et abandonnez-vous aux émotions que leur vue déclenche en vous... Souvenez-vous que vous ne serez pas dérangée: toute cette nourriture est là pour vous seule, pensez-y autant que vous le voulez... Essayez maintenant de vous détendre: dites-vous que vous ne serez plus jamais privée de rien... Maintenant, je voudrais que vous sortiez de chez vous pour aller poster une lettre... Que ressentez-vous en abandonnant la maison pleine de nourriture?... Est-ce que cela vous réchauffe le coeur de savoir qu'en revenant vous trouverez tout en place? Ou, au contraire, vous sentez-vous soulagée de vous éloigner de toute cette nourriture?... Vous avez maintenant posté votre lettre et vous rentrez chez vous... En entrant, souvenez-vous que toute cette nourriture est à vous seule et que personne ne viendra vous déranger... Que ressentez-vous?... Si vous aviez tout d'abord trouvé rassurante la présence de tous ces aliments, cette impression persiste-t-elle?... Si vous étiez plutôt effrayée, y a-t-il quelque chose qui puisse vous rassurer et faire en sorte que vous vous sentiez bien dans votre cuisine avec toute cette nourriture?... Revenez lentement ici en continuant de vous dire que votre cuisine regorge d'aliments délicieux et que personne d'autre que vous n'y touchera... et, lorsque vous serez prête, ouvrez les yeux...

Les réactions à cet exercice varient considérablement, mais, comme vous pourrez vous-même le constater, elles sont généralement assez spectaculaires. Elles vont d'un immense soulagement à l'idée d'avoir autant de nourriture et de pouvoir se régaler à volonté, à la peur, voire la panique, d'être en présence d'autant de nourriture, en passant par un violent désir de tout jeter par la fenêtre ou d'étreindre et de caresser ces aliments. Chez beaucoup de femmes, l'intermède de la boîte à lettres soulage une sensation de claustrophobie créée par l'abondance d'aliments appétissants et tentants. Pour d'autres, c'est un intermède serein et un retour agréable dans une cuisine transformée en un lieu rassurant et merveilleux. Cet exercice met le doigt sur vos craintes profondes associées à la nourriture et vous donne un point de départ pour examiner ensemble jusqu'à quel point les mangeuses compulsives se privent des joies de la nourriture et la transforment en ennemie jurée. En introduisant par cet exercice la possibilité de manger n'importe quoi en quantité illimitée, nous tentons d'ébranler cette conception voulant que les mangeuses compulsives et/ou les obèses doivent se priver de nourriture. En fait nous prétendons exactement le contraire: notre hypothèse est qu'une mangeuse compulsive ne se permet jamais vraiment de manger. Elle agit toujours en fonction d'une idée reçue et se répète sans cesse: "Je suis trop grosse, je dois m'interdire certains aliments." Cette attitude établit un cercle vicieux : ou elle est soit à la diète, soit en train de manger des tas de nourriture en prévision du lendemain, ou elle devra être "sage". Le régime est invariablement interrompu par une crise de boulimie qui est rarement vécue agréablement à cause de son caractère furtif et clandestin. Vient ensuite une période d'"alimentation erratique" et, éventuellement, un nouveau projet de régime; le schéma que vous trouverez plus bas illustre cette séquence. Aucune de ces manières de se nourrir ne part d'une attitude positive vis-à-vis de la nourriture; toutes reposent sur une lutte frénétique pour contrôler sa consommation d'aliments.

Cette lutte continuelle est un facteur qui induit la compulsion alimentaire.

L'objectif de notre méthode est de permettre à la mangeuse compulsive de redécouvrir à la fois la fonction de la nourriture et son droit de manger. *Les gens ont besoin de nourriture pour vivre. La nourriture est une source de vie et non pas quelque chose à éviter.* Tant qu'on n'est pas rassasié, on peut manger autant qu'on en a envie. Cette conception, bien qu'on puisse difficilement la qualifier de révolutionnaire, semble consternante pour quiconque a utilisé la nourriture à d'autres fins. En temps voulu, je vous expliquerai comment appliquer cette méthode. Pour la première rencontre, ce qui importe, c'est que les membres du groupe échangent leurs expériences quotidiennes et leurs peurs face à la nourriture.

C'est donc là l'objectif de la première rencontre. Les séances suivantes serviront à poursuivre ce travail à deux niveaux: le bilan de ce qu'ont vécu les femmes dans leur relation avec la nourriture pendant la semaine et l'exploration de thèmes liés à l'obésité et à la minceur. Toutefois, il ne sera plus nécessaire de répartir le temps de façon aussi rigide. Lors de la première séance, nous donnons toujours un "devoir" à faire pendant la semaine: il s'agit de tenir un "journal alimentaire". L'objectif de ce journal est de découvrir les constantes psychologiques qui vous poussent à manger alors que vous savez que vous n'avez pas faim physiquement.

JOUR ET HEURE	CE QUE J'AI MANGÉ	EST-CE QUE J'AVAIS FAIM?	LA NOURRITURE M'A-T-ELLE SATISFAITE?	SENTIMENTS ET ÉMOTIONS AVANT DE MANGER

La première semaine, tenez ce journal aussi rigoureusement que possible. Il s'agit d'observer et non de juger votre comportement alimentaire. Cela vous permettra de mieux saisir les constantes qui influencent votre alimentation. Vous apercevez-vous que vous mangez de façon erratique ou avec une certaine cohérence? Certains aliments vous semblent-ils particulièrement satisfaisants? Qu'est-ce que cela vous fait de constater que votre alimentation est à ce point déterminée par une série d'interdictions? Le gâteau au chocolat et la crème glacée mangés au milieu de la nuit étaient-ils meilleurs que le poisson et les épinards du repas du soir? Allons, avouez que cela vous a emmerdé de manger une grillade et une salade au lieu des quelques charlottes russes dont vous aviez envie!

En plus de vous informer sur ce que vous mangez, ce "journal alimentaire" vous sera utile pour repérer les circonstances où généralement vous mangez. Mangez-vous seule? En cachette? Évitez-vous les rencontres avec des amis et amies à l'heure des repas? Mangez-vous en compagnie d'autres mangeuses compulsives au restaurant? À la maison? Mangez-vous à table, en faisant le tour de la maison? À côté du réfrigérateur? Au lit? En regardant la télévision? Observez attentivement quand vous mangez, comment, quoi, et demandez-vous ce que vous trouvez le plus agréable. Vous pourrez constater, par exemple, que manger seule vous absorbe à un tel point que vous préférez le faire devant une table joliment dressée, ou que vous préférez manger devant la télévision, avec un livre ouvert et de la musique pendant les pauses publicitaires.

Examinez maintenant la colonne "Sentiments et émotions avant de manger". Voyez-vous des constantes qui déclenchent chez vous l'envie de manger sans avoir faim? Pouvez-vous mettre le doigt sur des émotions que vous trouvez difficiles à vivre et qui vous conduisent au réfrigérateur? Dans nos groupes, de nombreuses femmes ont parlé de l'ennui, de la colère, d'une sensation de vide, de la déception et de la solitude comme étant des sentiments de déclenchement. Pour d'autres, manger, c'est en quelque sorte ponctuer la journée, faire la transition entre différentes activités, marquer le début et la fin des différentes phases de la journée. D'autres encore constatent qu'elles mangent pour se donner un peu de plaisir. La nourriture leur sert d'oasis agréable, bien que passagère, dans une journée difficile. Isabelle explique: "Sans ces quelques pâtisseries que je m'offrais dans la journée, je ne voyais pas où j'aurais pu tirer un peu de plaisir de la vie." En réfléchissant sur cette phrase, Isabelle a dû se poser plusieurs questions. Pourquoi sa vie était-elle organisée de telle sorte qu'elle n'avait aucun autre plaisir possible? Que signifiait le mot "plaisir" pour elle? Selon elle, avait-elle droit au plaisir? Si elle attendait du plaisir des autres, ne craignait-elle pas de ne pas l'obtenir? Ne comptait-elle pas sur elle seule — et sur les pâtisseries — pour être certaine d'obtenir ce qu'elle voulait? Qu'est-ce qui pourrait lui procurer autant de plaisir que la nourriture? Lorsqu'elle avait "faim de plaisir", était-ce toujours de pâtisseries qu'elle avait envie, ou d'autres activités pouvaient-elles lui être aussi agréables? Ces questions n'étaient posées qu'à des fins de réflexion; nous n'avons pas incité Isabelle à renoncer à ses pâtisseries. Au contraire, l'objectif du groupe est d'aider chacune à mieux apprécier la nourriture, à faire de chaque repas une petite fête; manger sans y prendre un plaisir réel, c'est perdre une occasion de se régaler. Le groupe a encouragé Isabelle à réfléchir sur sa notion du plaisir et à reconsidérer cette certitude qu'elle seule pouvait se donner du plaisir. Cette réaction, bien qu'inhérente à sa personnalité, était également un moyen de se prémunir contre ce qu'elle redoutait le plus: que les autres la déçoivent inévitablement, qu'ils l'abandonnent. Le fait de se faire plaisir toute seule en mangeant des pâtisseries la rendait moins vulnérable et elle s'imaginait ainsi que c'était son obésité qui éloignait les gens. Ces problèmes liés au plaisir sont très familiers à de nombreuses femmes et témoignent de toute l'angoisse qu'elles éprouvent à recevoir alors qu'elles se croient forcées de toujours donner.

C'est à ce niveau que les questions doivent maintenant être soulevées. Au cours des premières séances, à mesure que vous apprenez à vous connaître, des questions posées avec tact vous aideront à recueillir des renseignements utiles sur le comportement des membres du groupe et les motivations qui le sous-tendent. À la deuxième rencontre, en plus de discuter de vos journaux alimentaires (incidemment, vous pourrez vous servir de nouveau du journal de temps en temps pour y vérifier ce que vous mangez et comment), vous pourrez commencer à vous raconter tour à tour l'hitoire de votre problème d'obésité. L'important n'est pas ici votre taille, mais les circonstances de votre vie qui ont entraîné des variations de poids. Essayez d'identifier les périodes de votre vie où vous avez engraissé, en vous servant d'un album de photos si cela peut vous aider. Il est très probable qu'il y aura dans votre groupe des femmes qui ont engraissé à diverses périodes de leur vie: l'enfance, l'adolescence, le départ de la maison, le mariage, le divorce, la grossesse ou le départ des enfants. Prenez tout le temps nécessaire pour vous raconter ces histoires, plusieurs séances s'il le faut, afin de comprendre jusque dans les détails ce qu'a été votre relation avec votre corps et avec la nourriture. N'oubliez pas de parler de la nourriture en relation avec votre famille. Y a-t-il quelqu'un d'autre qui a un problème alimentaire dans la famille? Quelles étaient les lois et les règlements tacites sur la nourriture? Comment se passaient vos repas familiaux? Était-ce des moments agréables ou, au contraire, très tendus? Y avait-il suffisamment de nourriture à la maison? Certains aliments étaient-ils bannis ou consommés seulement à l'extérieur du foyer? Votre mère vous aidait-elle à suivre votre régime ou vous en décourageait-elle? Votre mari vous pressait-il de maigrir ou vous "tentait-il" avec des aliments interdits? Vos proches vous transmettaient-ils des messages contradictoires sur votre taille. Vous disaient-ils que vous étiez "très bien comme cela" tout en commentant sans cesse votre façon de manger? Aviez-vous envie de maigrir pour quelqu'un d'autre?

À mesure que le groupe évolue et que vous travaillez à vous fier à votre corps pour régler votre alimentation, remarquez quelle influence vos proches ont sur votre façon de vous nourrir. Il se peut que vous constatiez que vos préoccupations liées à la nourriture les aient amenés à surveiller votre comportement alimentaire. Vous jugent-ils ou avez-vous l'impression qu'ils le font? À partir de maintenant, vous devez être la seule responsable de votre alimentation. Cela signifie:

1. Se dissocier des désirs et des besoins alimentaires des autres. Ne pas choisir ce que l'on mange et à quel moment en fonction d'eux.

2. Prendre le risque de croire que l'on est capable de s'occuper de soi en matière de nourriture.
3. Ne plus se préoccuper de la personne à qui l'on attribue un rôle de juge.

Si votre conjoint a pris l'habitude de vous aider à ne pas manger d'aliments "interdits" et si lorsque vous mangez ensemble, sa présence vous empêche de vous rassasier, reprenez ce pouvoir à votre compte, cette fois non pas pour vous éloigner d'une activité dangereuse, mais pour vous aider à choisir les aliments que vous aimez vraiment.

Beaucoup de femmes avec qui j'ai travaillé ont réalisé que leur mari les incitait à manger beaucoup alors qu'ils affichaient par ailleurs leur admiration pour les corps féminins minces et en forme. Cette attitude n'est finalement pas très éloignée de celle de leur mère: "Mange, mange mon enfant.", "...une cuillerée pour maman, une cuillerée pour tante Rose...", ou encore "... une cuillerée encore pour les enfants qui meurent de faim en Afrique ". Tout cela était murmuré avec tellement de sollicitude et de manière si pressante qu'il était presque impossible de refuser malgré l'envie de vomir. Rejeter la nourriture, c'était presque rejeter sa mère. Et pourtant, à d'autres moments, ces mêmes mères suppliaient leurs filles de surveiller leur alimentation et leur ligne, ou de se priver si elles étaient plus grosses "qu'il ne l'aurait fallu".

Recueillez autant d'informations que possible sur vos habitudes alimentaires passées et leur influence actuelle sur votre relation avec la nourriture. Si vous avez été suralimentée par votre mère, demandez-vous ce qui se passe dans votre esprit quand vous vous sentez trop bourrée pour avaler une bouchée de plus et que vous avez encore envie de manger. Qu'est-ce que cela voudrait dire de vous arrêter lorsque vous n'avez plus faim? Lorsque vous explorez ainsi l'impact de vos expériences passées sur votre alimentation actuelle, souvenez-vous que nous essayons d'ébranler cette idée reçue voulant que la mangeuse compulsive n'ait pas droit à la nourriture. Selon nous, les mangeuses compulsives sont terrifiées par la nourriture (après l'avoir investie de propriétés magiques, par exemple la propriété de combattre l'ennui, la solitude, la colère ou la dépression, il est difficile de se dire que ce n'est que de la nourriture, qu'une source de vie) et cette terreur les pousse constamment à manger ou à se priver. Rappelez-vous que même si vous n'avez pas l'impression de pouvoir vous contrôler devant la nourriture, cela ne signifie pas que vous n'avez pas le droit de manger.

Beaucoup de femmes disent qu'être responsables de leur alimentation leur semble particulièrement difficile parce que, même si elles sont chargées de nourrir les autres, elles ont renoncé depuis longtemps à assumer cette responsabilité pour elles-mêmes. Elles ont peur de ne pas avoir le courage de s'intéresser à ce point à elles-mêmes, ou même de ne pas savoir comment s'y prendre. Pourtant, il est important de le rappeler, même si l'alimentation compulsive ressemble à une capitulation, elle est tout de même un acte délibéré dont l'individu a pris la responsabilité. La signification de cet acte, cependant, n'est peut-être pas claire pour vous, de sorte que vous avez l'impression de ne pas avoir de contrôle sur la nourriture et d'être à sa merci; mais ce n'est là que l'expérience consciente et, au niveau inconscient, l'acte a une raison d'être. Si vous êtes capable de transformer votre façon d'être responsable de votre alimentation et de faire un effort conscient pour vous demander si vous avez faim et ce que vous avez envie de manger, vous serez capable d'aborder avec une plus grande confiance plusieurs activités sociales où la nourriture est en cause. Certaines peurs exprimées dans les groupes ont trait à des problèmes pratiques. Comment faire ses propres provisions lorsqu'on ne vit pas seule? Le groupe pourra examiner chaque situation: la femme vit-elle avec sa famille, dans une commune, ou partage-t-elle son appartement avec d'autres? Si les aliments sont achetés et consommés en commun, les repas sont-ils les seuls moments où toute la maisonnée est réunie? À partir de ces informations, on trouvera des solutions concrètes. Vous pourrez par exemple vous réserver une tablette dans le réfrigérateur et demander aux autres de remplacer immédiatement les aliments empruntés, vous dissocier des achats communs ou prévoir une certaine somme dans votre budget pour acheter en plus les aliments dont *vous* avez envie. Vous pouvez expliquer aux autres que vous avez vécu des expériences difficiles avec la nourriture, que vous essayez de réapprendre à être à l'écoute des besoins de votre corps et que, par conséquent, même si votre alimentation est peu orthodoxe, vous leur demandez de ne pas vous faire de commentaires et de ne pas essayer de vous convaincre de manger autrement. Les invitations à souper sont une autre situation que les femmes trouvent souvent problématique, et même angoissante. Différentes stratégies peuvent vous aider: n'acceptez pas de rendez-vous à l'heure des repas pendant un certain temps, sauf si vous êtes certaine de pouvoir choisir votre menu. S'il s'agit de quelqu'un de proche, ou de quelqu'un qui vous a souvent vue au régime et à qui vous avez souvent parlé de ce que vous "pouviez" et ne "pouviez pas" manger, expliquez-lui votre nouvelle approche de la nourriture et dites d'avance que vous ne viderez peut-être pas votre assiette. Si vous avez faim une heure avant le repas prévu, mangez un peu; vous vous sentirez mieux et vous aurez encore faim lorsqu'il sera temps de vous attabler. Mais, surtout, n'oubliez pas que vous avez le droit de manger, quels que soient vos sentiments sur vous-même et sur votre corps. Le fait que dans le passé vous ayez utilisé la nourriture pour essayer de combler des besoins psychologiques ne signifie pas que vous deviez maintenant vous priver.

À mesure que le travail du groupe avancera, vous voudrez y intégrer les divers exercices proposés dans ce livre.

1. L'exercice du miroir, où vous essayez d'inclure votre obésité dans votre image de vous-même (pages 115-116).
2. Vous habiller pour le présent, c'est-à-dire ne pas attendre d'être mince pour vous exprimer par le biais de vos vêtements (pages 117-119).
3. Laisser un peu de nourriture dans votre assiette (pages 155-156).
4. Transformer votre cuisine en supermarché (pages 180- 181).

Ces exercices vous aideront à prendre conscience de l'existence de votre corps et à vous accepter. Comme je l'ai déjà souligné, vous réapproprier votre corps, y compris votre graisse, est extrêmement important pour vous préparer à bien vivre lorsque vous serez plus mince.

Vous devez sentir que votre corps a un pouvoir quelle que soit votre taille et qu'il peut vous permettre de communiquer avec les autres. Nous avons expliqué à plusieurs reprises dans ce livre que les femmes s'imaginaient que leur obésité éloignait les gens, un peu comme si leur graisse les précédait pour clamer à la face du monde qu'elles en avaient assez. Notre objectif est d'apprendre que l'on peut tenir les gens à distance (si c'est ce que l'on souhaite) par des moyens qui relèvent de l'acceptation de soi plutôt que du dégoût. Plus vous sentez que votre corps vous appartient, que vous *êtes* votre corps, plus vous serez à même de dire "non" autrement qu'avec votre obésité. Lorsque vous constatez que c'est *vous* qui éloignez les gens et non pas votre obésité, celle-ci perd une de ses fonctions. En connaissant mieux votre corps et en l'acceptant davantage, vous comprendrez peu à peu qu'il ne s'agit pas seulement d'"un gros estomac" ou d'"une énorme bouche", mais aussi d'un organisme complexe et très perfectionné.

Essayez de percevoir l'intégrité de votre corps, sa continuité. Vous pouvez par exemple faire des dessins de vous sans les signer et les faire circuler dans le groupe où l'on essayera de deviner de qui il s'agit. Comme la plupart des femmes du groupe auront tendance à se représenter inexactement, surtout dans les premières séances, les autres pourront corriger ces perceptions en commentant les proportions, les attitudes et les postures. Les photos Polaroïd pourront également vous aider à préciser votre image de vous-même. En vous familiarisant de plus en plus avec votre corps, vous n'aurez plus besoin de critères extérieurs pour vous évaluer. Les mangeuses compulsives sont souvent obsédées par les tableaux de mesures et de poids, ou encore par les tableaux de calories qu'elles consultent rituellement matin et soir pour savoir si elles ont été "sages", cette sagesse déterminant si elles ont droit à une crise de boulimie ou à un nouveau régime. Généralement, pour la mangeuse compulsive, les tableaux sont les vrais juges. Si vous vous êtes bien comportée (c'est-à-dire si vous avez maigri), les tableaux vous permettent de manger, et si vous vous êtes mal comportée, les tableaux vous dépriment au point que vous devez vous empiffrer ou prendre la résolution de maigrir pour vous sentir soulagée. Alors, au lieu de poursuivre cette torture quotidienne génératrice d'anxiété, nous essayons de nous familiariser avec notre corps pour que les sentiments que nous ressentons viennent de l'intérieur plutôt que de l'extérieur. Les tableaux de tout genre ne sont que des critères extérieurs dont nous pouvons nous passer.

L'exercice du miroir peut vous apprendre à vous fier à votre propre jugement sur votre corps (et il est très difficile d'oublier tous les messages de magazines féminins sur ce que nous devons projeter comme image, sur ce que nous devons ressentir et sur ce que doit être notre poids). S'il y a des parties de votre corps que vous avez plus de mal à accepter, essayez de faire l'exercice où vous vous imaginez alternativement obèse puis mince, mais en vous concentrant sur ces parties. Si, par exemple, vous détestez au plus haut point vos cuisses, imaginez-vous avec d'énormes cuisses, puis avec des cuisses idéales, et réfléchissez à ce que signifient pour vous ces deux états. Une femme avec qui j'ai travaillé, et qui mourait d'envie d'avoir des cuisses minces, a découvert en faisant cet exercice que la graisse qui enveloppait les siennes était comme une espèce "de maison" protégeant son vagin. Avoir les cuisses minces dont elle rêvait lui donnait l'impression d'être vulnérable et de ne plus être protégée contre sa sexualité. Ainsi, elle a pu accepter ses "grosses cuisses" et se rendre compte que c'était le seul moyen qu'elle avait trouvé pour soulager ses angoisses sexuelles. Elle a perdu du poids et a commencé à trouver d'autres moyens pour exprimer ses désirs, ou son absence de désirs sexuels. Pour d'autres femmes, de gros seins ou un gros ventre symbolisaient une chose consciemment, mais elles ont découvert qu'ils avaient d'autres significations au niveau de l'inconscient. Ces découvertes leur ont permis de constater qu'elles pouvaient être plus proches de leur corps. En groupe, ou seule devant un miroir, vous pouvez vous exercer à exprimer différentes facettes de votre personnalité par vos gestes et votre posture. Exercez-vous à projeter par exemple votre force, votre timidité, votre désir d'être seule ou, au contraire, le plaisir que vous prenez à être avec quelqu'un.

Pour vous préparer à être mince sans penser pour autant que cela vous obligera à être extraordinaire, compétente, éblouissante et géniale, prenez quelques minutes par jour, et imaginez-vous mince au cours d'activités mondaines: réception, magasinage, réunion de travail, etc. Demandez-vous en particulier ce qu'il y a de difficile à être mince dans ces activités quotidiennes. Si vous découvrez certaines peurs, essayez de les cerner aussi précisément que possible et parlez-en avec les femmes du groupe. Essayez maintenant de vous imaginer mince sans ces peurs ou ces sentiments troublants. Pensez comment vous vous tiendriez, comment vous marcheriez et vous vous assiériez si vous étiez mince, et essayez d'intégrer ces différentes postures à votre façon de bouger avec votre corps actuel. Si l'écart est trop considérable, imaginez-vous avec cinq ou six kilos en moins pour commencer; cela vous facilitera les choses. Lorsque vous y arriverez, cela voudra dire que vous êtes prête à maigrir et il est probable que votre corps le traduira en exigeant moins de nourriture. Pendant ces périodes, essayez d'être la plus rigoureuse possible, c'est-à-dire de manger exactement ce dont vous avez envie et de vous arrêter au moment précis où vous n'avez plus faim. Souvent, les mangeuses compulsives confondent la sensation de la satiété avec la sensation de trop-plein. Pour vous familiariser avec la sensation d'être rassasiée, mangez quelques bouchées de ce dont vous avez envie lorsque vous avez faim, en prenant bien soin de goûter à chacune de ces bouchées; ensuite, cessez de manger et faites autre chose pendant une quinzaine de minutes. Puis demandez-vous ce que ressent votre corps. S'il a faim et se sent vide, continuez à manger ce qui vous semble le plus apte à satisfaire cette faim. Lorsque vous vous sentirez bien, vous saurez que vous avez assez de nourriture et que vous pouvez attendre d'avoir faim de nouveau pour manger. Si vous savez que vous pouvez manger chaque fois que vous avez faim n'importe quel aliment dont vous avez envie, vous serez moins portée à vous empiffrer. Et lorsque votre corps vous dira qu'il ne veut pas beaucoup de nourriture, vous comprendrez qu'il est temps de maigrir un peu.

Les femmes ne réagissent pas toutes de la même façon mais, d'après notre expérience, au début de la thérapie la plupart d'entre elles ont tendance à stabiliser leur poids ou à engraisser légèrement. Celles qui engraissent ne devraient pas s'alarmer mais plutôt saisir cette occasion pour comprendre ce que l'obésité signifie pour elles, pour "embrasser" toute leur graisse avant de lui faire des adieux définitifs. Lorsque vous perdrez du poids, vous verrez que vous aurez tendance à maigrir de quelques kilos puis à rester un certain temps à ce poids; cela signifie que votre corps attend que vous passiez au prochain niveau de travail émotif en explorant par exemple des questions comme: "Qui serai-je une fois mince?", "Qui n'appréciera pas que je sois plus mince?", "Comment vais-je me protéger si j'ai cinq kilos en moins?".

Dans les chapitres précédents, j'ai suggéré que l'obésité avait beaucoup à voir avec la connaissance et l'affirmation de soi et qu'une des peurs associées à la minceur est de se sentir faible, soumise et vulnérable. Les exercices que nous avons décrits vous aideront certainement à mieux vivre dans votre corps et donc à mieux l'utiliser dans vos activités quotidiennes. D'autres exercices peuvent s'avérer utiles pour vous permettre d'explorer ce sentiment familier aux femmes de ne pas avoir droit d'exprimer leurs besoins: ils vous apprendront à vous affirmer et auront des répercussions sur votre attitude face à la nourriture.

Chaque jour, essayez de dire "oui" à quelque chose que vous voulez; il peut s'agir de quelque chose qui n'implique que vous, comme prendre un bain de mousse, lire un livre, faire une promenade ou écrire une lettre. À mesure que vous apprendrez à dire "oui", vous réalisez plusieurs choses. D'abord et avant tout, vous vous persuadez que vous avez le droit de prendre des décisions qui vous font plaisir de façon autonome, ce qui a pour effet d'augmenter la confiance en vous et d'ébranler une image fondée sur la négation de votre moi. Si vous êtes capable dire "oui" à un bain, vous serez capable de dire "oui" à une collation dont vous avez envie. Pouvoir dire "oui" vous donne la possibilité de dire "non". Pensez à une circonstance où vous avez dit "oui" alors qu'en fait vous vouliez dire "non". Revoyez lentement cet incident dans votre esprit, en remplaçant le "oui" par un "non" et en exprimant vos véritables sentiments. Que ressentez-vous? Quel risque prenez-vous en disant "non"? Et maintenant, essayez de prendre conscience de toutes les fois où vous vous êtes retrouvée dans cette situation. Commencez à dire "non" à certaines choses — même si elles vous semblent insignifiantes — , à mesure que vous apprenez à dire "oui" à d'autres. Développez la sensation d'être responsable de vos décisions; ce sentiment se répercutera sur votre rapport avec la nourriture; vous pourrez dire "oui" ou "non" à certains aliments et, ce qui est peut-être plus important, vous découvrirez une autre façon de vous servir de votre bouche pour vous exprimer.

L'exercice où vous vous imaginez tour à tour obèse et mince (pages 175-176) pourra s'avérer utile pour découvrir ce que la différence de poids signifie pour chacune des femmes du groupe dans diverses situations. Certains sujets méritent d'être discutés et approfondis car ils pourront vous être particulièrement utiles: les conséquences de l'obésité et de la minceur pour une femme dans notre société, l'obésité et la minceur en relation avec la sexualité, la colère, la compétition, avec votre mère, votre père ou votre enfant. Ajoutez une personne en particulier ou une situation précise à l'exercice habituel et voyez ce qui se passe: "*Installez-vous aussi confortablement que possible... Imaginez que vous êtes avec votre mère (votre père, votre amant, votre amante, votre mari...). Vous êtes passablement grosse, etc.*"

Il est possible que dans certains groupes, seules quelques femmes s'expriment, ou encore que vous constatiez que l'obésité agit dans le groupe de la même façon qu'à l'extérieur du groupe. Par exemple, une femme qui a souffert toute la semaine d'épisodes boulimiques pourra avoir l'impression d'avoir droit à plus de temps que les autres: "Si je suis plus grosse, je suis pire que les autres et j'ai donc droit à davantage d'attention." Inversement, une femme qui a beaucoup maigri pourra croire qu'elle n'a pas le droit à l'attention du groupe: "Si je suis mince, je suis censée être parfaite et n'avoir aucun besoin." Une femme qui a maigri pourra se mettre à se suralimenter pour assurer sa place dans le groupe. Si vous vous apercevez que celles qui ont eu le plus de mal pendant la semaine prennent presque tout votre temps et que celles qui n'ont pas eu trop de problèmes avec la nourriture restent silencieuses, vous pouvez envisager d'établir une règle où chaque femme prend douze minutes pour parler de ce qu'elle veut, nourriture, minceur ou obésité. Ainsi, vous éviterez de renforcer ce fantasme voulant que les femmes minces n'aient aucun besoin et que les femmes obèses aient des besoins insatiables.

Dans un groupe d'entraide, certaines joueront un rôle plus actif que d'autres et cela est normal; mais c'est à l'ensemble du groupe que revient la responsabilité de choisir les exercices, le mode de fontionnement et le lieu et l'heure des séances. Vous pourrez instaurer un système de rotation où chaque semaine une femme différente sera chargée de préparer les exercices, de surveiller l'heure et de commencer la séance. Toutefois, ce système n'est pas le seul possible; chaque groupe évolue selon ses désirs.

La dynamique de l'entraide est passionnante. Elle permet d'apprendre énormément de choses qui vous seront utiles et, si le travail du groupe n'est pas entravé par des préjugés sur ce qui doit et ne doit pas arriver, elle ouvre la voie à l'exploration créatrice, à la connaissance de soi et à la croissance personnelle.

Les conseils et les suggestions que nous vous avons donnés dans cet ouvrage sont tirés de notre expérience mais ne doivent en aucune façon restreindre l'imagination et l'énergie de votre groupe, ni vous empêcher d'explorer individuellement ou en groupe certains aspects de l'alimentation compulsive que nous n'aurions pas traités en détail dans ce livre.

Chapitre 5

L'anorexie

L'anorexie est un problème alimentaire très complexe et étroitement lié à l'alimentation compulsive; elle se caractérise aussi par des restrictions alimentaires volontaires, par la peur et même la terreur des aliments qui exercent cependant une fascination obsessive, bien que secrète. Mais, contrairement aux mangeuses compulsives, les anorexiques expriment leur préoccupation à l'égard de la nourriture en devenant excessivement minces — en se privant jusqu'à l'émaciation et même, dans les cas extrêmes, jusqu'à la mort. Cette forme extrême d'autoprivation se distingue par une lutte incessante pour ignorer les signaux de la faim.

L'anorexie a souvent comme point de départ l'application exagérée d'un régime, que l'anorexique "en puissance" commence à suivre parce qu'elle se sent grosse. Comme la mangeuse compulsive, plusieurs anorexiques s'adonnent régulièrement à des épisodes boulimiques. La honte et le dégoût qui suivent poussent l'anorexique à jeûner, à vomir ou à prendre des laxatifs, pour purger son corps des aliments qu'elle a absorbés. Lorsqu'elle mange de nouveau, elle se sent tout de suite rassasiée et elle se nourrit donc en général très peu jusqu'à la prochaine crise de boulimie apparemment incontrôlable. La perte de poids peut être très spectaculaire et causer ainsi toute une gamme de symptômes physiques. Les anorexiques cessent d'être menstruées, et souffrent souvent d'insomnie, de constipation et d'hypersensibilité au chaud et au froid; des poils apparaissent sur leur corps, la couleur et la texture de leurs cheveux, de leur peau et de leurs ongles changent; leur pouls est faible et elles transpirent énormément. Elles endurent tous ces problèmes physiques pour essayer d'atteindre leur but ultime: être mince.

Alors qu'il peut sembler difficile de comprendre que certaines femmes voient des avantages à devenir obèses, presque tout le monde comprend cette volonté d'être mince parce qu'elle est conforme à ce que la société attend des femmes. Il n'est donc pas étonnant de constater que quatre-vingt-dix pour cent des diagnostics cliniques d'anorexie concernent des femmes et que selon un spécialiste de la question (1), le terme *anorexia nervosa* ne devrait être utilisé que pour décrire un syndrome clinique spécifique se manifestant chez les filles pendant la pré-adolescence et l'adolescence.

C'est le fait que l'anorexie nerveuse soit presque exclusivement une condition féminine qui la relie aussi étroitement à l'obésité et à l'alimentation compulsive. Si les hommes en souffraient autant que les femmes, nous devrions chercher une autre explication, mais la peur de l'obésité, l'obsession de la nourriture, l'alimentation furtive et clandestine et le désir de nourrir les autres nous amènent à conclure que les origines de ce comportement se trouvent dans les conditions sociales réservées aux femmes dans notre société. *L'anorexie et l'alimentation compulsive sont les deux côtés d'une même médaille. En fuyant la nourriture, l'anorexique réagit aux mêmes conditions oppressives que la mangeuse compulsive.*

Je voudrais souligner que bien que j'aie très peu d'expérience thérapeutique avec les anorexiques, j'ai eu de nombreux contacts avec des femmes qui souffrent de ce problème, qui avaient lu des articles sur la théorie Munter-Orbach de l'alimentation compulsive et qui s'y étaient beaucoup reconnues. Ce que je dirai dans ce chapitre repose donc sur mes lectures sur l'anorexie (2) et sur mes discussions avec des femmes qui en ont souffert, plutôt que sur une expérience clinique à long terme. Il me semble important d'aborder l'anorexie dans ce livre dans la mesure où ce problème éclaire celui de l'alimentation compulsive.

Comme les mangeuses compulsives, les anorexiques s'empiffrent et se privent, mais l'anorexique se prive pendant de longues périodes, ne se nourrissant que d'un oeuf ou d'un biscuit par jour et ne cédant que très rarement à une crise de boulimie dont elle se purifie aussitôt par un jeûne encore plus strict, ou par des laxatifs, des lavements ou des vomissements. Ce comportement est le reflet d'une culture qui prêche la minceur et la fragilité aux femmes. Beaucoup de femmes associent le début de leur anorexie à des régimes abusifs entrepris pour correspondre à l'idéal féminin de leur adolescence. Comme pour les mangeuses compulsives, constatant que les choses tournaient mal à l'adolescence, elles ont cherché la réponse à leurs problèmes dans leur biologie individuelle: c'était sûrement parce que leur corps se transformait, prenait de l'ampleur et des courbes, devenait "féminin". Et, n'ayant aucun contrôle sur ces transformations, elles ignoraient quel en serait le résultat: auraient-elles de petits seins et de fortes hanches ou le corps des adolescentes de *Seventeen**?

* *Seventeen* est un magazine américain destiné aux adolescentes. (N.D.T)

Ces bouleversements déclenchaient chez ces jeunes femmes des sentiments de confusion, de peur et d'impuissance. La transformation de leur corps était associée à une modification de leur statut à la maison, à l'école et dans leurs relations avec leurs amis et amies. Les courbes de leur corps signifiaient qu'elles devaient adopter l'identité sexuelle d'une adolescente. C'est l'époque où les questions d'apparence prennent une importance démesurée, l'époque où les filles apprennent une douloureuse leçon: elles ne doivent pas révéler aux garçons leur véritable personnalité, que ce soit sur un court de tennis, à l'école ou en parlant de leurs affaires de coeur. Ces nouveaux règlements, ce nouveau code régissant leur comportement, et les changements spectaculaires qui surviennent dans leur vie, ne ressemblent en rien à ce qu'elles avaient appris jusque-là et engendrent des émotions extrêmement compliquées. Plusieurs femmes racontent qu'en revenant sur cette période de leur vie, — période où elles ont effectivement cessé de manger —, elles se souviennent de s'être senties à ce point déphasées par tout ce qui se passait que se priver de nourriture leur semblait une façon extrêmement efficace de maîtriser la situation. En contrôlant les tiraillements de leur estomac, elles avaient l'impression de gagner au moins une bataille dans la lutte qu'elles livraient contre un corps qui semblait se développer de façon totalement incontrôlable. En se privant, elles essayaient de reprendre du pouvoir sur ce corps et sur leurs besoins physiques. Ce pouvoir s'incarnait dans leur capacité à ignorer la faim qui les tenaillait.

Mais ce pouvoir qu'ont les anorexiques de dépasser la faim débouche sur une contradiction: en essayant d'être forte, l'anorexique devient si faible qu'elle est de moins en moins autonome, de plus en plus dépendante. Sa grande faiblesse physique fait qu'elle a davantage besoin de soins et d'attention de la part des autres. Cette situation l'enferme dans un autre dilemme. Comme l'expliquent Rosie Parker et Sarah Mauger: "Pour un grand nombre de femmes, la manipulation de leur corps est leur seul moyen d'avoir le sentiment de s'accomplir. Le lien qu'elles établissent entre le statut social et la minceur est à la fois réel et imaginaire. Réel parce que les gens obèses sont vraiment victimes de discrimination; imaginaire, parce que l'image idéale de la femme mince, fragile et délicate ne fait qu'augmenter leur sentiment d'impuissance et de faiblesse (3)."

Ce dernier point est peut-être le noeud de la situation. L'anorexie traduit une ambivalence vis-à-vis de la féminité: une révolte contre la féminisation qui, dans sa forme spécifique, exprime à la fois un rejet et une exagération de l'image idéale. Ces privations, qui rendent l'adolescente exagérément maigre, font disparaître ses courbes et nient sa féminité, mais, en même temps, cette maigreur est une parodie de la petitesse féminine. Tout se passe comme si l'anorexique avait un pied dans chaque camp — celui de l'androgynie préadolescente et celui de la séduction féminine. Cette situation nous renvoie à la mangeuse compulsive. Pour certaines femmes qui se suralimentent, l'excédent de poids est également une tentative de faire disparaître ces courbes féminines qui ont des conséquences sociales désastreuses. Mary, qui avait un problème d'alimentation compulsive, a commencé à se suralimenter à l'adolescence; elle explique avec beaucoup de lucidité qu'elle essayait d'envelopper ses courbes; sa "graisse de bébé" la soustrayait jusqu'à un certain point du camp des filles, lui évitant d'avoir à subir les fréquententations et tous les rituels des soins de beauté. Elle pouvait ainsi continuer à se percevoir comme une enfant plutôt que comme une fille prête pour le flirte. La pré-adolescence représentait pour elle une certaine forme d'égalité, un état où les enfants n'étaient que des enfants et pouvaient se livrer, plus ou moins, aux mêmes activités sans tenir compte de leur sexe. Son obésité était une tentative inconsciente de camoufler ses formes féminines comme la maigreur de l'anorexique est une tentative de se travestir en perdant sa substance. L'image ultra-féminine de fragilité que projettent souvent les anorexiques trouve également son équivalent chez la mangeuse compulsive.

L'obésité de certaines femmes est conforme à un autre stéréotype féminin, celui de la mère nourricière, généreuse, fiable, aimante, compatissante, qui excelle dans ses fonctions typiquement féminines qui consistent à prendre soin des autres, à préparer la nourriture et à étreindre sensuellement ses proches. Pour certaines femmes, c'est là une image relativement positive de l'obésité à laquelle on peut se raccrocher parce que au moins, elle est socialement acceptable et donc moins marginale, moins monstrueuse; mais cette image est également problématique parce qu'elle est l'extension de la capacité reproductrice de la femme dans le rôle de la mère universelle. Les mères universelles nourrissent les autres toute leur vie et deviennent donc terriblement affamées. Les jeunes femmes fragiles sont admirées et cajolées, du moins selon le mythe, et elles ont moins besoin de se gaver peut-être parce qu'elles n'ont pas à donner autant. Leur réussite comme femmes consiste à obtenir des autres qu'ils s'occupent d'elles et qu'ils les entourent et non le contraire.

Cette tentative de concilier les contraires, l'ultra-féminité et le rejet de la féminité, est liée à un aspect de l'anorexie auquel on a accordé beaucoup d'attention: l'énergie et l'activité intense dont fait preuve l'anorexique. Cette activité se manifeste par le désir compulsif de réussir à l'école, d'exceller dans les sports et d'être actives coûte que coûte. Vous connaissez probablement cette impression de "deuxième souffle" au milieu d'une nuit exténuante et le type d'énergie tendue qui en découle; le même genre de phénomène explique l'hyperactivité dont les anorexiques font souvent preuve pendant des mois et des mois. Cette course est motivée en partie par le désir de maigrir encore davantage en brûlant autant de calories que possible. Une analyse féministe nous fournit une seconde explication: les efforts de la jeune femme pour s'engager dans le maximum d'activités seraient une façon de se protéger contre l'exclusion dont elle craint d'être victime en devenant une femme; en se projetant dans le futur, elle constate que le monde est ainsi fait que les hommes y sont récompensés par le biais de leurs activités sociales alors que les femmes sont soit exclues de la vie sociale ou, encore pis, y participent sans être récompensées. L'activité frénétique de l'anorexique ressemble à une tentative de se donner une plus grande marge de manoeuvre que celle que lui réserve son rôle social: elle s'efforce d'avoir un impact sur un monde hostile à son sexe. Cet effort intense se reflète douloureusement dans la réaction de certaines anorexiques dont le moi est si précaire qu'elles se retirent du monde public pour s'enfermer dans leur chambre, devenant ainsi les tragiques symboles de l'exclusion des femmes. Chez la mangeuse compulsive, le reflet est inversé. La femme dynamique, super-efficace, la confidente rêvée, celle qui arrange tout, réussit tout et porte le monde sur ses épaules est une caricature de la mère — mamelle du monde; mais, en même temps, elle souligne l'exclusion des femmes au sein de la vie sociale. Le roc inébranlable, image fantasmatique souvent évoquée par les mangeuses compulsives, s'assimile à l'activité frénétique de l'anorexique et à ce moi perçu comme inefficace.

Ces images convergentes invitent clairement à une reconsidération des origines de l'anorexie et, comme nous l'avons vu, de la compulsion alimentaire. Certains auteurs ont déjà souligné l'importance des facteurs sociaux. Maria Selvini Palazzoli (4) émet l'hypothèse que le passage de la société agraire à la société industrielle en Europe a eu un effet profond sur la stabilité de la famille patriarcale et que la jeune fille anorexique remet en cause son conservatisme persistant. Hilde Brush (5) conteste les critères sociaux dominants sur l'obésité et cherche à cerner dans quelle mesure "la conception de la beauté dans notre société, et notre préoccupation constante de l'apparence de notre corps influe sur le syndrome. L'obsession de la minceur qui prévaut dans la société occidentale, la condamnation de tout excès de poids, considéré à priori comme laid et néfaste, est peut-être une distorsion de la vision du corps mais elle domine toute la vie quotidienne pour l'instant." D'autres facteurs sociaux ont été observés mais sans que leur lien avec la situation sociale des femmes soit établi et approfondi. Ainsi, Peter Dally (6) a constaté que plusieurs anorexiques avaient des mères frustrées par la vie qui reportaient leurs ambitions sur leurs filles.

L'identification de ces facteurs est d'une grande utilité mais certaines questions restent en suspens. Si ces facteurs existent, comment s'expliquent-ils? Pourquoi certaines mères sont-elles dominatrices? Pourquoi la société occidentale est-elle obsédée par la minceur? Pourquoi la famille patriarcale résiste-t-elle aux changements? Quels postulats fondamentaux de notre société contestent les femmes qui ont des problèmes alimentaires? Quels sentiments les femmes essaient-elles d'articuler en perturbant le mécanisme de la faim et en déformant leur corps? S'il s'agit d'un état psychologique qui affecte les femmes, comment la société pourrait-elle y répondre de façon adéquate? Le traitement ne devrait-il pas tenir compte des facteurs sociaux qui ont poussé ces femmes à la compulsion alimentaire et à l'anorexie?

Comme nous l'avons vu, les sociétés occidentales modernes ont des attentes précises quant aux activités féminines, et les entourent d'interdits. Les femmes sont censées être menues, réservées, généreuses, passives, accueillantes et, par-dessus tout, attirantes. On nous décourage d'être actives, d'avoir de l'assurance et l'esprit de la compétition, d'être grosses et, par-dessus tout, de ne pas être attirantes. Ne pas être attirante, c'est ne pas être une femme. Dans le cas de la compulsion alimentaire, la stratégie de certaines femmes pour échapper à cette camisole de force consiste à devenir grosses pour avoir "un poids" dans le monde; devenir grosse pour compenser le fait d'avoir toujours à donner; devenir grosse pour se soustraire à une sexualité stéréotypée. Pour la mangeuse compulsive, la nourriture est investie d'un signification symbolique énorme qui exprime les problèmes des femmes aux prises avec un rôle social oppressif. Même si les anorexiques adoptent la stratégie inverse, les similarités avec l'alimentation compulsive montrent clairement que la position sociale des femmes se reflète autant dans le comportement de l'anorexique que dans celui de la mangeuse compulsive.

Les anorexiques ont en commun avec les mangeuses compulsives le désir conscient de ne pas se faire remarquer. Elles ont souvent le trac avant d'entrer dans une pièce où il y a beaucoup de gens parce que toute l'attention se tournera vers elles pendant quelques instants. Au lieu de grossir, pour cacher leur véritable moi sous quelques couches de graisse, les anorexiques deviennent presque aussi minces qu'un fil; mais une femme mince comme un fil attire davantage l'attention qu'une femme "normale". La différence fondamentale, c'est que la femme trop maigre (comme la femme trop grosse), suscite un intérêt d'une tout autre nature. Dès le premier coup d'oeil, hommes et femmes concluent que l'anorexique (comme l'obèse) n'est pas attirante sur le plan sexuel. En gros, cela signifie que les hommes se détournent d'elles et que les femmes se détendent en leur présence. L'anorexique attirera de la pitié ou de la sympathie, mais dans sa recherche apparemment narcissique de l'ultra-féminité, ironiquement, elle réussit à se désexualiser. Il y a deux autres façons d'interpréter cette peur d'être remarquée. La première est liée au thème répétitif de l'exclusion des femmes, la maigreur excessive étant peut-être la quintessence de l'expression de l'absence/présence des femmes. Cette invisibilité forcée entraîne à son tour chez la femme le désir d'être remarquée et acceptée par sa simple existence, sans avoir à être belle et parfaite, sans avoir à se conformer aux besoins et aux attentes des autres. Ce désir, fortement ressenti et rarement comblé, ne peut qu'être réprimé ou tranformé en son contraire: la peur d'attirer l'attention qui, dans son expression particulière, amène l'anorexique à "disparaître".

Ce besoin d'être acceptée vient, pour beaucoup de femmes, de la sensation de ne pas avoir été désirée et donc de n'avoir aucune valeur. Ce rejet peut avoir été explicite: "En fait, nous voulions un garçon." ou encore ressenti comme une déception de la mère qui met une fille au monde. Que le fait ait été explicite ou implicite, de nombreuses mangeuses compulsives et de nombreuses anorexiques racontent avoir perçu chez leur mère une très grande ambivalence quant à leur existence même. Dire que l'on voulait un garçon, c'est dire à sa fille qu'elle vous a déçue. De là, celle-ci n'a qu'un pas à faire pour avoir l'impression d'être une ratée, sentiment qui, à son tour, peut engendrer celui de n'avoir aucun droit. À la puberté, les sentiments mère/fille deviennent à ce point problématiques que l'anorexie permet à la fille de faire d'une pierre deux coups. D'une part, elle refuse la nourriture pour essayer de s'effacer, de ne pas exister, de disparaître afin de plaire à sa mère. Mais, d'autre part, elle exprime par son refus de l'essentiel de ce que la mère donne — la nourriture —, sa colère et son ressentiment de ne pas avoir été acceptée telle qu'elle était et de ne pas avoir eu une mère à qui s'identifier: comment peut-on s'identifier à une mère qui nous rejette sans se rejeter elle-même? Dans un mélange de résignation et de colère, l'adolescente a des haut-le-coeur ou se sent rassasiée dès la première bouchée. Elle rejette ce que lui donne sa mère et ainsi, la blesse de la façon la plus efficace qu'elle connaisse tout en se pliant à ce qu'elle croit être l'attente et le désir de sa mère: qu'elle disparaisse.

Les pressions qui incitent de nombreux parents à désirer des bébés de sexe masculin proviennent d'une société où les femmes ont moins de pouvoir social. L'une des répercussions tragiques du statut inférieur des femmes est qu'en transmettant certaines valeurs culturelles d'une génération à l'autre, les mères héritent de cette horrible tâche de préparer leur propre fille à accepter une vie et un statut de deuxième classe. C'est par cet apprentissage de notre identité sexuelle — c'est-à-dire de ce que cela signifie d'être une fille, puis une femme, dans ce monde —, que nous trouvons notre place dans la société. La définition de cette identité sexuelle variera largement en fonction des valeurs propres aux classes et aux origines culturelles. Être une ouvrière dans une usine bulgare est différent d'être une infirmière américaine; pourtant, ces deux femmes sont devenues des adultes en intégrant une conception du moi, fondée sur les modèles dominants de comportements féminins et transmise, d'abord et avant tout, par leur mère. C'est au cours de ce processus d'apprentissage que les tensions de la relation mère/fille explosent et que la fille assimile des messages troublants sur la définition de la féminité.

L'un des aspects de cette tension, qui semble particulièrement déterminant dans le cas des anorexiques, est ce sentiment qu'elles ont d'avoir déçu leur mère dès leur arrivée dans le monde à cause de leur sexe. Ce sentiment rend très précaire leur droit à la survie. Souvent, l'anorexique n'est pas certaine d'avoir le droit d'exister et c'est ce qui explique son souci de l'excellence et de la performance. De nombreuses anorexiques racontent que leur obsession de la réussite académique venait de leur peur qu'un échec déçoivent leurs parents. Elles espéraient, en ne le décevant pas, être peut-être enfin acceptées. Comme l'expliquait amèrement une femme ayant souffert d'anorexie: "Il fallait que j'excelle en tout. Je n'étais pas acceptée pour moi-même; pourtant, mes parents acceptaient mon frère, malgré sa délinquance." Les parents de cette femme ne lui avaient jamais dit explicitement qu'ils ne l'avaient pas désirée ou qu'ils avaient été déçus par son sexe; elle en était arrivée à cette conclusion à cause de la façon dont ils traitaient son frère. Leur différence d'âge ne lui semblait pas une explication suffisante pour justifier l'attitude de sa mère avec elle et le malaise qu'elle ressentait. L'énorme différence de traitement et le terrible sentiment de rejet devaient donc résulter de son sexe.

Au cours des trente dernières années, l'une des différences les plus frappantes entre l'éducation des filles et celle des garçons s'est manifestée à l'adolescence, alors que les filles devaient rester pures, et les garçons, acquérir de l'expérience sexuelle. L'activité sexuelle était considérée comme néfaste pour les filles et souhaitable pour les garçons. Les filles apprenaient que les garçons sortaient toujours gagnants de ce jeu; ou bien ils avaient du succès et acquéraient de l'expérience, ou bien on leur assurait qu'ils avaient le temps. D'ailleurs, il existait même une catégorie bien particulière de femmes pouvant donner aux garçons l'expérience qui leur faisait défaut. Les filles, elles, n'avaient aucune chance de gagner. Si vous "le" faisiez, vous étiez une mauvaise fille, sale et impure et y penser était presque aussi grave. Si vous ne "le" faisiez pas, les garçons pouvaient vous lancer des injures mais si vous "le" faisiez, vous aviez mauvaise réputation. Vous deviez vous préparer au mariage des années à l'avance et jusque-là votre sexualité devait se confiner dans des limites très strictes. Dans ce contexte, il n'est pas étonnant que les jeunes femmes éprouvent une grande confusion au sujet de leur sexualité perçue, d'une part, comme diabolique, dangereuse et explosive et, d'autre part, comme puissante, glorieuse et désirable. La sexualité féminine leur semblait étrangement désincarnée, comme si elle leur était étrangère. La jeune femme devait surveiller sa sexualité en tout temps, comme s'il s'agissait d'une entité indépendante. Cette aliénation de la sexualité, contre laquelle les femmes luttent de plus en plus, explique l'ambivalence que ressentent les anorexiques et les mangeuses compulsives à cet égard. La distorsion d'une des fonctions fondamentales du corps en entraîne une autre: celle du mécanisme de la faim. Par la déformation physique, par la manipulation des signes de la faim, l'anorexique et la mangeuse compulsive dressent un violent réquisitoire contre la société sexiste. La jeune femme se retire de la seule arène sexuelle qu'on lui propose et craint qu'à la moindre expression de ses pulsions sexuelles, son univers s'effondre.

En se soustrayant à son identité sexuelle, la jeune femme souligne les difficultés inhérentes à la féminité telle que définie par la société patriarcale. La sexualité est l'un des aspects de l'identité sexuelle, de sorte qu'un rejet des modèles de sexualité disponibles est en même temps un rejet des modèles de féminité. C'est dans ce dilemme que tant de femmes sont enfermées; il s'exprime chez les anorexiques à la fois par la signification symbolique de la minceur et par le refus de la nourriture.

Pour l'anorexique, le refus de la nourriture est une façon de dire "non", de s'affirmer, de montrer sa force. D'autre part, sa minceur exprime aussi sa fragilité et sa vulnérabilité, sa confusion face à sa sexualité et sa volonté de disparaître. Pour la mangeuse compulsive, la situation semble inversée, l'obésité étant à la fois un rejet, un moyen de défense, une manifestation de force, et la consommation incessante de nourriture symbolise la capitulation. Nous interprétons ces deux réactions comme des adaptations à un rôle féminin dont les paramètres sont passablement limités. Les deux syndromes expriment le dilemme de l'acceptation et du rejet des contraintes de la féminité.

L'intérêt de comparer ces deux réactions se situe tant sur le plan de leurs convergences et que de leurs distinctions.

Une des différences la plus frappante a trait à l'attitude de celles qui souffrent. Pour l'anorexique, son problème ne se prête pas aux discussions publiques; c'est une question très personnelle qu'elle ne considère pas comme un problème parce qu'elle-même perçoit son refus de nourriture comme une tentative de prendre du pouvoir, pouvoir qu'elle sait précaire et qu'elle risque de perdre si elle en parle. Voilà qui est assez différent de l'expérience de la mangeuse compulsive: pour elle, la compulsion alimentaire n'est pas un état actif mais plutôt quelque chose qui "survient" lorsqu'elle perde le contrôle. Ce phénomène s'explique partiellement par le fait que les pressions sociales exhortant les femmes à la minceur sont si fortes qu'elles se sentent obligées de trouver une excuse à leur obésité. L'anorexique, même si elle se sent grosse, se conforme en fait aux exigences sociales de minceur féminine. Paradoxalement, le grand public prend très au sérieux l'anorexie alors qu'il considère la compulsion alimentaire comme un comportement de personne trop gourmande et qui manque de volonté. Pourtant, comme nous l'avons vu, les deux activités sont des réactions extrêmement douloureuses de femmes qui essaient ainsi d'avoir un impact quelconque sur le monde.

NOTES

1. Mara Selvini Palazzoli, *Self Starvation*, Londres, 1974, pp. 4-25.
2. Voir au sujet de l'anorexie:
   Rosie Parker et Sarah Mauger, "Self Starvation" in *Spare Rib* 28, 1976.
   Marlene Boskind-Lodahl, "Cinderella's Stepsiters: A Feminist Perspective on Anoxeria and Bulimia" in *Signs 2*, hiver 1976, pp.342-356.
   Mara Selvini Palazzoli, *Self Starvation*, Londres, 1974.
   Hilde Bruch, *Eating Disorders*, New York, 1973.
   Peter Dally, *Anoxeria Nervosa*, Londres, 1969.
   Anna Freud, "The Psychoanalytic Study of Infantile Feeding Disturbances", *The Psychoanalytic Study of the Child II*, Londres, 1946
3. Parker et Mauger, "Self Starvation".
4. Palazzoli, *Self Starvation*, pp. 224-252.
5. Brush, *Eating Disorders*, p. 88.
6. Dally, *Anoxeria Nervosa*, pp. 93-94.

Chapitre 6

Les aspects médicaux

Ce livre défend la thèse selon laquelle l'alimentation compulsive est la réponse des femmes à leur position sociale; elle continuera donc à faire partie de leur vie tant que les conditions sociales créeront et encourageront l'inégalité des sexes. Tout traitement de l'obésité féminine doit tenir compte de ce fait.

Si une femme va consulter un médecin généraliste pour un problème de poids, celui-ci lui conseillera presque inévitablement de suivre un régime. Aux yeux du médecin, il est évident que cette patiente mange trop et que, pour maigrir, elle doit manger moins. Son attitude a exactement les mêmes fondements implicites que tous les régimes que l'on voit apparaître sur le marché tous les jours. Le médecin n'a ni le temps ni l'intérêt nécessaire pour se demander d'abord pourquoi cette femme est devenue grosse. Aucun conseil alimentaire ne peut aider une femme à maigrir de façon définitive sans que les vraies raisons de son obésité aient été identifiées et approfondies.

De nos jours, l'enseignement de la médecine devient de plus en plus technique; il faut maintenant avoir d'excellents résultats académiques en sciences pour être accepté dans une école de médecine et, une fois là, l'accent est mis sur une approche technique de la médecine. L'élément humain y est trop souvent négligé; les médecins sont entraînés à utiliser des instruments complexes et à se tenir au courant des progrès de la recherche scientifique. Cependant, ils n'acquièrent pas cette sensibilité indispensable pour saisir ce qui trouble leurs patients et patientes. Par conséquent, plusieurs femmes se heurtent à une grande froideur de la part du médecin qu'elles consultent pour maigrir. Les médecins ne sont pas moins sensibles que le reste des gens aux stéréotypes culturels de beauté et de minceur et ils s'arrogent fréquemment le droit de faire des commentaires sur le corps de leurs patientes, même si leurs problèmes médicaux n'ont pas trait à l'obésité. Comme le disait une femme: "Ils me font toujours sentir coupable parce que je mange trop. Ils me traitent comme une vilaine petite fille." Feuilles de régime en main, les femmes sont renvoyées à leur foyer, à leur travail, et aux problèmes qu'elles y affrontent, ces mêmes problèmes qui ont été à l'origine de leur obésité et qui continuent à l'alimenter.

Mais les femmes finissent par constater que les régimes et la culpabilité ne donnent rien, qu'ils leur viennent d'un médecin ou d'un magazine féminin. Certaines femmes désespèrent au point de chercher une raison physiologique à leur obésité persistante. Parfois, elles vont consulter un spécialiste de l'obésité qui a, bien sûr, intérêt à confirmer que effectivement, des facteurs biologiques sont en cause. La femme va le voir pour essayer de mieux comprendre. Elle se dit souvent: "Si mon obésité a une cause biologique, il n'y a pas grand-chose à faire; je resterai grosse. Mais il faut au moins que les gens sachent que ce n'est pas ma faute."

Depuis quelques années, la médecine a fait énormément de recherches sur les causes de l'obésité. Même si ces recherches ont rarement été intégrées à la pratique de la médecine, la publicité qu'on leur a faite et l'espoir qu'elles ont suscité chez les obèses m'amènent à traiter ici de ces théories les plus populaires.

Les médecins et les chercheurs qui ont une vision mécaniste du corps humain le décrivent comme un assemblage d'organes (le foie, le coeur, le cerveau), de tissus (les muscles, le tissu nerveux, les os) et de cellules (les cellules nerveuses, les cellules musculaires et les globules sanguins). Les organes sont constitués de différentes sortes de cellules, et les cellules elles-mêmes sont représentées comme de petites usines biochimiques qui fonctionnent de façon à maintenir l'organisme en bonne santé; cette perspective a permis de considérer l'obésité comme un phénomène biologique. Dans l'organisme, il y a un tissu que l'on trouve entre les organes et entre les divers groupes de muscles ou d'os et de muscles: il s'agit du tissu conjonctif, qui a la propriété d'accumuler la graisse que l'organisme n'utilise pas. Ce tissu adipeux est donc constitué de cellules adipeuses. Le phénomène de l'accumulation de la graisse dans les cellules adipeuses a attiré l'attention de plusieurs chercheurs médicaux.

La théorie des cellules adipeuses

Il y a dix ans, Hirsch et Knittle (1) ont élaboré une méthode pour évaluer le nombre et la taille des cellules adipeuses dans un échantillon de tissu adipeux. Ils émettent l'hypothèse que l'obésité pendant l'enfance s'accompagne d'une augmentation du nombre de cellules adipeuses dans l'organisme, et que les régimes suivis plus tard dans la vie ne réduisent pas leur nombre. La taille des cellules diminue lorsque la personne perd du poids mais c'est comme si elles n'attendaient que l'occasion de grossir à nouveau. Une personne sévèrement obèse peut avoir jusqu'à cinq fois plus de cellules adipeuses qu'une personne normale.

Les théories biochimiques

Le fonctionnement des cellules dépend de la nature des réactions chimiques qui s'y déroulent. Toutes les réactions chimiques de l'organisme — la conversion des aliments en énergie, la dépense d'énergie pendant l'exercice et pendant toute activité humaine — reposent sur la présence des enzymes. Les enzymes sont des molécules de protéines qui favorisent les réactions chimiques sans être utilisées. Toute réaction chimique dans l'organisme dépend d'une enzyme. Des études sur les bactéries ont prouvé que les enzymes sont fabriquées grâce à l'information emmagasinée dans les gènes. Dans cette perspective, il est donc normal de penser à une explication génétique de l'obésité et de considérer les personnes obèses come des individus dont les gènes sont légèrement différents de ceux des personnes "normales". Les gènes différents produisent des enzymes légèrement différentes. Certaines seront associées aux réactions chimiques liées à l'emmagasinage de la graisse dans le corps. Selon cette théorie, l'obèse possède des enzymes différentes et son corps réagit donc différemment à la graisse.

Les théories génétiques

La théorie génétique est reliée à l'approche biochimique. La théorie génétique générale ne précise pas nécessairement où se fait la variation génétique; elle émet simplement l'hypothèse que cette variation existe, au niveau des enzymes, du système nerveux ou encore du système hormonal. Cette approche conduit à des études montrant que “l’obésité tient de la famille” (2).

Une nouvelle théorie génétique (3) suggère que les obèses ne mangent pas nécessairement plus que les gens minces. Le raisonnement est le suivant: dans les sociétés qui subsistent de leur agriculture, le schéma alimentaire est celui du festin occasionnel et rapide et ceux qui ont la capacité d’emmagasiner efficacement l’excédent d’énergie et de l’utiliser pour leur travail physique ont une meilleure chance de survie. Dans les sociétés où règne l’abondance, l’alimentation est régulière et adéquate et le corps n’a plus besoin d’emmagasiner l’énergie pour la libérer plus tard. De plus, comme nous avons tendance à être plus sédentaires, nous brûlons moins d’énergie. Pour illustrer cette théorie, on nous présente des courbes illustrant la disposition des concentrations de maigre et de gras dans le corps des adultes. Un déterminisme biologique ferait que si, jusqu’à récemment, il était utile d’avoir une tendance innée à l’embonpoint, de nos jours, il vaut mieux être prédisposé à la minceur.

La théorie de l’insuline

Lorsque l’on absorbe du sucre et des protéines, les ilôts de Langerhans, agglomérats de cellules dans le pancréas, produisent l’insuline (une hormone). L’insuline est une protéine vitale et essentielle pour que les cellules puissent absorber et utiliser le sucre comme source énergétique. S’il y a un excès de glucose dans le système sanguin, il est converti en réserve d’énergie, c’est-à-dire en graisse. Si l’organisme ne produit pas assez d’insuline, le sucre et les hydrates de carbone s’accumulent dans le sang et ne fournissent pas l’énergie nécessaire pour maintenir les processus organiques. C’est ce qu’on appelle le diabète. Les deux tiers des diabétiques sont obèses et ce fait a amené les chercheurs à se demander s'il y avait un lien entre ces deux problèmes. Les partisans de la théorie de l'hyperinsulinisme émettent l'hypothèse que le corps de l'obèse produit trop d'insuline, ce qui peut entraîner une hypersensibilité à cette hormone (4). C'est le docteur Atkins qui a popularisé cette théorie (5); il qualifie l'insuline "d'hormone de l'obésité" et prétend qu'en quantité excessive, elle pousse les gens à manger davantage pour maintenir l'équilibre. Selon lui, l'insuline serait le "chaînon manquant" entre l'obésité, un taux de sucre trop bas et le diabète.

La théorie neurale

La théorie neurale simple met en cause le système régulateur de l'organisme. Une partie du cerveau, l'hypothalamus, serait le lieu de départ et d'arrivée des signaux de la faim. Le centre de satiété, situé dans l'hypothalamus, informerait le cerveau que le corps est rassasié. Si des lésions perturbent cette zone neurale, l'individu continuera à manger au-delà du point de satiété normal. Une étude récente sur des rats souffrant de lésions ventromédiales de l'hypothalamus montre que ces animaux dépassent le point de satiété, deviennent obèses, et présentent un manque de motivation à plusieurs niveaux, dont l'incapacité de faire des réserves. Cette étude a conduit les chercheurs à établir un parallèle avec la motivation humaine et à suggérer que l'obésité puisse entraîner la pauvreté (6).

D'autres chercheurs doutent du rôle central de l'hypothalamus dans la régulation de la faim mais leur hypothèse de base reste la même: une défectuosité du système régulateur de la faim serait à l'orgine de la suralimentation.

La limite de ces théories, c'est qu'elles ne permettent pas d'établir si les différences de réactions observées entre les obèses et ceux qui ne le sont pas causent l'obésité ou si elles en découlent. La théorie des cellules adipeuses est d'une utilité limitée parce qu'une forte proportion de cellules adipeuses ne se développerait au cours de l'enfance qu'en cas d'obésité grave. Le traitement des adultes qui étaient obèses dans leur enfance peut permettre la perte de poids et la stabilisation (7). Les théories génétiques générales ne sont pas très convaincantes parce que le fait qu'il existe des familles d'obèses peut aussi bien s'expliquer par des facteurs sociaux reliés à l'influence de l'entourage (8). La théorie évolutionniste pèche par le peu d'importance que ses auteurs ont accordé au facteur temps: les modifications génétiques de ce type sont extrêmement lentes (9). La théorie des lésions de l'hypothalamus interprète le comportement des rats selon des termes humains, d'une part et, d'autre part, tombe dans le piège de tenir pour acquis que le comportement animal est analogue au comportement humain (10).

Ce qui est plus lourd de conséquences, ce sont les traitements qui découlent de ces théories. Elle promettent souvent que la compréhension de la physiologie humaine permettra de mettre au point une substance (un médicament, par exemple) qui pourra faire disparaître les cellules adipeuses superflues, les mécanismes de satiété de l'hypothalamus ou permettre à l'obèse d'utiliser plus efficacement sa graisse et le sucre qu'elle ingère. C'est de cette façon qu'on traite les diabétiques: l'incapacité du corps à produire suffisamment d'insuline est corrigée par des injections quotidiennes de cette hormone. La perspective d'un traitement similaire de l'alimentation compulsive ou de sa conséquence habituelle, l'obésité, répond à un fantasme très répandu: pouvoir se débarrasser de l'obésité en prenant une pilule et être aussi mince qu'on le souhaite. Mais soixante-quinze ans de recherches dans le domaine de l'obésité nous portent à croire qu'il est très peu probable qu'une telle substance existe. Les traitements les plus courus et les plus fréquemment utilisés sont les thérapies à base de médicaments, les interventions chirurgicales et les régimes.

Les thérapies à base de médicaments

L'administration de thyroxine, une homone sécrétée par la glande thyroïde, est utilisée dans le traitement de l'obésité. La thyroxine est censée "accélérer le mécanisme" et faire en sorte que le corps brûle plus rapidement les calories. Les effets à long terme de ce traitement sont douteux parce qu'il exige de très fortes doses d'hormones; il est donc potentiellement dangereux, pouvant agir sur le fonctionnement normal de la thyroïde qui est très délicat. Deux autres types de médicaments sont utilisés dans le traitement de l'obésité. Tous deux sont des agents anorexiques; les premiers sont des suppresseurs d'appétit et les deuxièmes sont bien connus sous le nom d'amphétamines. Ces dernières ont un effet stimulateur et créent une dépendance: il faut augmenter les doses pour continuer à supprimer l'appétit. Les suppresseurs d'appétit, comme la Flenfluramine par exemple, servent à produire une impression de satiété et à inhiber la synthèse des triglycérides.

Interventions chirurgicales

La façon la plus terrible de traiter l'obésité est l'intervention chirurgicale destinée à contourner le problème. Le pontage jéjuno-iléal est une opération où l'on rend le petit intestin inefficace pour que les aliments n'y soient plus complètement absorbés. Généralement pratiquée dans les cas de maladies inflammatoires graves et de cancer des intestins, cette intervention a été pratiquée dans les cas d'obésité extrême depuis une vingtaine d'années. De nombreuses études ont porté sur ses effets secondaires. On observe, entre autres, des problèmes d'adaptation psychologique. Une étude portant sur le suivi de ces patients et patientes (11) indique que dans vingt-deux cas sur quarante, les personnes ainsi traitées ont traversé des crises psychologiques clairement associées à la perte de poids. Il n'est pas étonnant de constater qu'il s'agissait, entre autres, de problèmes liés à l'affirmation de soi, de problèmes de perte d'identité et de problèmes de relation avec les proches. Un autre chercheur (12) rapporte que, deux ans après l'intervention, et après avoir perdu une cinquantaine de kilos, les sujets féminins surestimaient encore leur poids.

L'extraction chirurgicale des cellules adipeuses est une approche encore plus mécaniste. Dans une des expériences (13) trois patients ont été mis au régime et, lorsque leur poids fut revenu à "la normale", on a extrait de quarante-sept à soixante pour cent de leur "excédent de cellules adipeuses". Un des patients a fait une thrombose, l'autre avait regagné une quarantaine de kilos trois ans plus tard et le troisième "suivait un régime très strict et un programme d'exercices physiques régulier et exténuant".

Les régimes

Les régimes ont toujours été le traitement de prédilection des médecins dans les cas d'obésité. Les chercheurs étudient l'effet combiné de divers aliments et conçoivent des régimes en conséquence. Comparés aux autres types de traitement, les régimes semblent relativement doux et inoffensifs, mais ils reposent sur le même postulat. Le corps humain est considéré comme l'équivalent biologique d'une automobile, l'obésité étant perçue comme le symptôme d'un dysfonctionnement biologique comme la consommation excessive d'essence pour une voiture. Cette théorie ne tient pas compte des aspects psychologiques de la minceur et de l'obésité ni des causes de l'alimentation compulsive.

Bien que mon objectif ne soit pas de déprécier les praticiens engagés dans l'amélioration de la condition humaine, il est important de souligner que, dans son ensemble, la profession médicale a directement contribué à l'oppression des femmes à travers toute son histoire. Les travaux de Barbara Ehrenreich et de Deirdre English (14) ont montré que la profession médicale s'est établie, aux États-Unis, en s'opposant aux pratiques de guérisseurs dévoués et compétents qui, majoritairement, étaient des femmes. Récemment, des groupes d'auto-santé constitués par des femmes, et dont le plus connu aux États-Unis est probablement le Collectif de la santé des femmes de Boston (15), se sont mis à reconsidérer la pratique médicale d'un point de vue féministe et se sont engagés dans un travail d'information destiné à fournir aux femmes des informations de base sur leur corps. Les activités de certains de ces groupes de femmes se sont heurtées à l'opposition des autorités. Des femmes d'un groupe d'auto-santé californien ont été poursuivies devant les tribunaux (heureusement sans succès) pour "pénétration illégale du vagin".

Le plus décourageant dans l'approche médicale dominante est son hégémonie dans des domaines comme l'alimentation compulsive, où les causes profondes et les problèmes sont indissociables de facteurs sociaux qu'il faut absolument comprendre pour trouver des traitements et des façons d'intervenir efficacement. Même les femmes obèses qui sont diabétiques peuvent être des mangeuses compulsives et l'on doit tenir compte de ce problème parallèlement au traitement médical.

Au cours de la dernière décennie, nous avons assisté à l'émergence d'une tendance de plus en plus marquée de la science et de la médecine à s'attaquer à des problèmes dont les causes sont d'ordre social et économique. La médecine est perçue comme une panacée universelle et la science comme l'incarnation de la vérité. L'idéologie scientifique est la nouvelle religion (17); cette idéologie se prétend neutre et exempte de préjugés: des travailleurs et des travailleuses vêtus de blanc s'affairent dans les laboratoires, à la recherche du progrès et de la vérité. Mais les chercheurs médicaux ne sont pas de purs esprits motivés uniquement par la quête de la vérité; ce sont des êtres humains dont le travail est directement relié à d'autres êtres humains. Peu d'entre eux se demandent qui subventionne leurs recherches et qui fixe leurs priorités. On se contente d'exiger du public une foi aveugle dans ces nouvelles solutions technologiques aux problèmes humains.

Un coup d'oeil sur les journaux médicaux nous montre cette attitude à l'oeuvre dans un autre domaine. De façon caractéristique, on vous montre la photo d'une femme dans la quarantaine, affaissée sur une table de cuisine encombrée de restes d'aliments et d'assiettes sales. Le légende dit quelque chose comme "le médicament X soulagera son stress et l'aidera à affronter la vie". En plus petits caractères, la publicité explique que la femme est souvent déprimée à la ménopause; que, depuis le départ de ses enfants, elle manque totalement d'énergie et qu'elle a l'impression d'avoir gaspillé sa vie. On lui prescrira donc le psychotrope X pour diminuer son anxiété. Les médecins, souvent des hommes débordés de travail, ignorants des conditions sociales qui acculent leurs patientes au désespoir, et eux-mêmes incapables d'affronter ce type d'anxiété, prescrivent donc des tranquillisants et des psychotropes pour remonter le moral à ces femmes, leur permettre de recommencer à nettoyer la cuisine et éviter qu'elles dérangent les autres. Ils ignorent totalement les causes sociales de la détresse de ces femmes et se contentent de les droguer avec des médicaments.

L'alimentation compulsive est une protestation individuelle contre l'inégalité des sexes; c'est pourquoi les interventions médicales que nous venons de décrire ne contribuent pas à la solution mais *au problème.* La situation actuelle exige une réorientation en profondeur de l'enseignement scientifique et médical, et une pratique médicale qui réponde aux exigences du mouvement d'auto-santé des femmes.

NOTES

1. V. L. Hirsch et V. Knittle, "Cellularity of Obese and Nonobese Adipose Tissue", *Federation Proceedings of the American Society for Experimental Biology*, numéro 29, (1970): 1516.

2. W.B. Kannel et T. Gordon, "Some Determinants of Obesity and Its Impact as a Cardiovascular Risk Factor" in *Recent Advances in Obesity Research*, éd. Alan Howard, Londres, 1975, p. 14.
3. H.E. Dugdale et P.R. Payne, "The Pattern of Lean and Fat Deposition in Adults", *Nature* 266, (mars 1977): 349.
4. H. Keen, "The Incomplete Story of Obesity and Diabetes" in Howard, *Recent Advances.*
5. R.C. Atkins, *Dr Atkins' Diet Revolution*, New York, 1972.
6. L.V. Herberg, K.B.J. Franklin et D.N. Stephens, "The Hypothalamic "Set Point" in Experimental Obesity", in Howard, *Recent Advances.*
7. Hilde Bruch, *Eating Disorders*, New York, 1973, p. 36.
8. Michael Schwartz et Joseph Schwartz, "No Evidence for Heritability of Social Attitudes," *Nature* 255: 429.
9. A. Cooke *et al.*, "The New Synthesis Is an Old Story," *New Scientist* 70 (1976).
10. Ibid.
11. E. Espmark, "Psychological Adjustment Before and After Bypass Surgery for Extreme Obesity, a Preliminary Report," in Howard, *Recent Advances*, p. 242.
12. R.C. Kalucy *et al.*, "Self Reports of Estimated Body Widths in Female Obese Subjects with Major Fat Loss Following Ileo-jejunal Bypass Surgery," in Howard, *Recent Advances*, p. 331.
13. J.G. Kral et L.V. Sjorstrom, "Surgical Reduction of Adipose Tissue Hypercellularity," in Howard, *Recent Advances*, p. 327.
14. Barbara Ehrenreich et Deirdre English, *Witches, Midwives and Nurses*, New York, 1973.
15. The Boston Women's Health Collective, *Our Bodies, Ourselves*, New York, 1973.
16. *People v. Carolyn Aurillia Downer* LAMC 31426942 (1972).
17. R.M. Young, "Science Is Social Relations," *Radical Science Journal* 5 (1977): 65.

Table des matières

Lithographié au Canada
sur les presses de
Métropole Litho Inc.

Ouvrages parus chez

sans * pour l'Amérique du Nord seulement
*** pour l'Europe et l'Amérique du Nord**
**** pour l'Europe seulement**

COLLECTION BEST-SELLERS

* **Comment aimer vivre seul,** Lynn Shahan
* **Comment faire l'amour à une femme,** Michael Morgenstern
* **Comment faire l'amour à un homme,** Alexandra Penney
* **Grand livre des horoscopes chinois, Le,** Theodora Lau

Maîtriser la douleur, Meg Bogin
Personne n'est parfait, Dr H. Weisinger, N.M. Lobsenz

COLLECTION ACTUALISATION

* **Agressivité créatrice, L',** Dr G.R. Bach, Dr H. Goldberg
* **Aider les jeunes à choisir,** Dr S.B. Simon, S. Wendkos Olds

Au centre de soi, Dr Eugene T. Gendlin
Clefs de la confiance, Les, Dr Jack Gibb

* **Enseignants efficaces,** Dr Thomas Gordon

États d'esprit, Dr William Glasser

* **Être homme,** Dr Herb Goldberg
* **Jouer le tout pour le tout,** Carl Frederick
* **Mangez ce qui vous chante,** Dr L. Pearson, Dr L. Dangott, K. Saekel
* **Parents efficaces,** Dr Thomas Gordon
* **Partenaires,** Dr G.R. Bach, R.M. Deutsch

Secrets de la communication, Les, R. Bandler, J. Grinder

COLLECTION VIVRE

* **Auto-hypnose, L',** Leslie M. LeCron

Chemin infaillible du succès, Le, W. Clement Stone

* **Comment dominer et influencer les autres,** H.W. Gabriel

Contrôle de soi par la relaxation, Le, Claude Marcotte
Découvrez l'inconscient par la parapsychologie, Milan Ryzl
Espaces intérieurs, Les, Dr Howard Eisenberg
Être efficace, Marc Hanot
Fabriquer sa chance, Bernard Gittelson
Harmonie, une poursuite du succès, L', Raymond Vincent

* **Miracle de votre esprit, Le,** Dr Joseph Murphy
* **Négocier, entre vaincre et convaincre,** Dr Tessa Albert Warschaw

* **On n'a rien pour rien,** Raymond Vincent
Parlez pour qu'on vous écoute, Michèle Brien
Pensée constructive et le bon sens, La, Raymond Vincent
* **Principe du plaisir, Le,** Dr Jack Birnbaum
* **Puissance de votre subconscient, La,** Dr Joseph Murphy
Reconquête de soi, La, Dr James Paupst, Toni Robinson
* **Réfléchissez et devenez riche,** Napoleon Hill
Règles d'or de la vente, Les, George N. Kahn
Réussir, Marc Hanot
* **Rythmes de votre corps, Les,** Lee Weston
* **Se connaître et connaître les autres,** Hanns Kurth
* **Succès par la pensée constructive, Le,** N. Hill, W.C. Stone
Triomphez de vous-même et des autres, Dr Joseph Murphy
Vaincre la dépression par la volonté et l'action, Claude Marcotte
* **Vivre, c'est vendre,** Jean-Marc Chaput
Votre perception extra-sensorielle, Dr Milan Ryzl

COLLECTION VIVRE SON CORPS

Drogues, extases et dangers, Les, Bruno Boutot
* **Massage en profondeur, Le,** Jack Painter, Michel Bélair
* **Massage pour tous, Le,** Gilles Morand
* **Orgasme au féminin, L',** Christine L'Heureux
* **Orgasme au masculin, L',** sous la direction de Bruno Boutot
* **Orgasme au pluriel, L',** Yves Boudreau
Pornographie, La, Collectif
Première fois, La, Christine L'Heureux
Sexualité expliquée aux adolescents, La, Yves Boudreau

COLLECTION IDÉELLES

Femme expliquée, La, Dominique Brunet
Femmes et politique, sous la direction de Yolande Cohen

HORS-COLLECTION

1500 prénoms et leur signification, Jeanne Grisé-Allard
Bien s'assurer, Carole Boudreault et André Lafrance

* **Entreprise électronique, L',** Paul Germain

Horoscope chinois, L', Paula Del Sol

Lutte pour l'information, La, Pierre Godin

Mes recettes, Juliette Lassonde

Recettes de Janette et le grain de sel de Jean, Les, Janette Bertrand

Autres ouvrages parus aux Éditions du Jour

ALIMENTATION ET SANTÉ

Alcool et la nutrition, L', Jean-Marc Brunet

Acupuncture sans aiguille, Y. Irwin, J. Wagenwood

Bio-énergie, La, Dr Alexander Lowen

Breuvages pour diabétiques, Suzanne Binet

Bruit et la santé, Le, Jean-Marc Brunet

Ces mains qui vous racontent, André-Pierre Boucher

Chaleur peut vous guérir, La, Jean-Marc Brunet

Comment s'arrêter de fumer, Dr W.J. McFarland, J.E. Folkenberg

Corps bafoué, Le, Dr Alexander Lowen

Cuisine sans cholestérol, La, M. Boudreau-Pagé, D. Morand, M. Pagé

Dépression nerveuse et le corps, La, Dr Alexander Lowen

Desserts pour diabétiques, Suzanne Binet

Jus de santé, Les, Jean-Marc Brunet

Mangez, réfléchissez et..., Dr Leonid Kotkin

Échec au vieillissement prématuré, J. Blais

Facteur âge, Le, Jack Laprata

Guérir votre foie, Jean-Marc Brunet

Information santé, Jean-Marc Brunet

Libérez-vous de vos troubles, Dr Aldo Saponaro

Magie en médecine, La, Raymond Sylva

Maigrir naturellement, Jean-Luc Lauzon

Mort lente par le sucre, La, Jean-Paul Duruisseau

Recettes naturistes pour arthritiques et rhumatisants, L. Cuillerier, Y. Labelle

Santé par le yoga, Suzanne Piuze

Touchez-moi s'il vous plaît, Jane Howard

Vitamines naturelles, Les, Jean-Marc Brunet

Vivre sur la terre, Hélène St-Pierre

ART CULINAIRE

Armoire aux herbes, L', Jean Mary
Bien manger et maigrir, L. Mercier, C.B. Garceau, A. Beaulieu
Cuisine canadienne, La, Jehane Benoit
Cuisine du jour, La, Robert Pauly
Cuisine roumaine, La, Erastia Peretz
Recettes et propos culinaires, Soeur Berthe
Recettes pour homme libre, Lise Payette
Recettes de Soeur Berthe — été, Soeur Berthe
Recettes de Soeur Berthe — hiver, Soeur Berthe
Recettes de Soeur Berthe — printemps, Soeur Berthe
Une cuisine toute simple, S. Monange, S. Chaput-Rolland
Votre cuisine madame, Germaine Gloutnez

DOCUMENTS ET BIOGRAPHIES

100 000ième exemplaire, Le, J. Dufresne, S. Barbeau
40 ans, âge d'or, Eric Taylor
Administration en Nouvelle-France, Gustave Lanctôt
Affrontement, L', Henri Lamoureux
Baie James, La, Robert Bourassa
Cent ans d'injustice, François Hertel
Comment lire la Bible, Abbé Jean Martucci
Crise d'octobre, La, Gérard Pelletier
Crise de la conscription, La, André Laurendeau
D'Iberville, Jean Pellerin
Dangers de l'énergie nucléaire, Les, Jean-Marc Brunet
Dossier pollution, M. Chabut, T. LeSauteur
Énergie aujourd'hui et demain, François L. de Martigny
Équilibre instable, L', Louise Deniset
Français, langue du Québec, Le, Camille Laurin
Grève de l'amiante, La, Pierre Elliott Trudeau
Hiérarchie ethnique dans la grande entreprise, Jean-Marie Rainville
Histoire de Rougemont, L', Suzanne Bédard
Hommes forts du Québec, Les, Ben Weider
Impossible Québec, Jacques Brillant
Joual de Troie, Le, Marcel Jean
Louis Riel, patriote, Martwell Bowsfield
Mémoires politiques, René Chalout
Moeurs électorales dans le Québec, Les, J. et M. Hamelin
Pêche et coopération au Québec, Paul Larocque
Peinture canadienne contemporaine, La, William Withrow
Philosophie du pouvoir, La, Martin Blais
Pourquoi le bill 60? Paul Gérin-Lajoie
Rébellion de 1837 à St-Eustache, La, Maximilien Globensky
Relations des Jésuites, T. II
Relations des Jésuites, T. III
Relations des Jésuites, T. IV
Relations des Jésuites, T. V

ENFANCE ET MATERNITÉ

Enfants du divorce se racontent, Les, Bonnie Robson

Famille moderne et son avenir, La, Lynn Richards

ENTREPRISE ET CORPORATISME

Administration et la prise, L', P. Filiatrault, Y.G. Perreault

Administration, développement, M. Laflamme, A. Roy

Assemblées délibérantes, Claude Béland

Assoiffés du crédit, Les, Fédération des A.C.E.F. du Québec

Coopératives d'habitation, Les, Murielle Leduc

Mouvement coopératif québécois, Gaston Deschênes

Stratégie et organisation, J.G. Desforges, C. Vianney

Vers un monde coopératif, Georges Davidovic

GUIDES PRATIQUES

550 métiers et professions, Françoise Charneux Helmy

Astrologie et vous, L', André-Pierre Boucher

Backgammon, Denis Lesage

Bridge, notions de base, Denis Lesage

Choisir sa carrière, Françoise Charneux Helmy

Croyances et pratiques populaires, Pierre Desruisseaux

Décoration, La, D. Carrier, N. Houle

Des mots et des phrases, T. I, Gérard Dagenais

Des mots et des phrases, T. II, Gérard Dagenais

Diagrammes de courtepointes, Lucille Faucher

Dis papa, c'est encore loin?, Francis Corpatnauy

Douze cents nouveaux trucs, Jeanne Grisé-Allard

Encore des trucs, Jeanne Grisé-Allard

Graphologie, La, Anne-Marie Cobbaert

Greffe des cheveux vivants, La, Dr Guy, Dr B. Blanchard

Guide de l'aventure, N. et D. Bertolino

Guide du chat et de son maître, Dr L. Laliberté-Robert, Dr J.P. Robert

Guide du chien et de son maître, Dr L. Laliberté-Robert, Dr J.P. Robert

Macramé-patrons, Paulette Hervieux

Mille trucs, madame, Jeanne Grisé-Allard

Monsieur Bricole, André Daveluy
Petite encyclopédie du bricoleur, André Daveluy
Parapsychologie, La, Dr Milan Ryzl
Poissons de nos eaux, Les, Claude Melançon
Psychologie de l'adolescent, La, Françoise Cholette-Pérusse
Psychologie du suicide chez l'adolescent, La, Brenda Rapkin
Qui êtes-vous? L'astrologie répond, Tiphaine
Régulation naturelle des naissances, La, Art Rosenblum
Sexualité expliquée aux enfants, La, Françoise Cholette-Pérusse
Techniques du macramé, Paulette Hervieux
Toujours des trucs, Jeanne Grisé-Allard
Toutes les races de chats, Dr Louise Laliberté-Robert
Vivre en amour, Isabelle Lapierre-Delisle

LITTÉRATURE

À la mort de mes vingt ans, P.O. Gagnon
Ah! mes aïeux, Jacques Hébert
Bois brûlé, Jean-Louis Roux
C't'a ton tour, Laura Cadieux, Michel Tremblay
Coeur de la baleine bleue, (poche), Jacques Poulin
Coffret Petit Jour, Abbé J. Martucci, P. Baillargeon, J. Poulin, M. Tremblay
Colin-maillard, Louis Hémon
Contes pour buveurs attardés, Michel Tremblay
Contes érotiques indiens, Herbert T. Schwartz
De Z à A, Serge Losique
Deux millième étage, Roch Carrier
Le dragon d'eau, R.F. Holland
Éternellement vôtre, Claude Péloquin
Femme qu'il aimait, La, Martin Ralph
Filles de joie et filles du roi, Gustave Lanctôt
Floralie, où es-tu?, Roch Carrier
Fou, Le, Pierre Châtillon
Il est par là le soleil, Roch Carrier
J'ai le goût de vivre, Isabelle Delisle
J'avais oublié que l'amour fût si beau, Yvette Doré-Joyal
Jean-Paul ou les hasards de la vie, Marcel Bellier
Jérémie et Barabas, F. Gertel
Johnny Bungalow, Paul Villeneuve
Jolis deuils, Roch Carrier
Lapokalipso, Raoul Duguay
Lettre à un Français qui veut émigrer au Québec, Carl Dubuc
Lettres d'amour, Maurice Champagne
Une lune de trop, Alphonse Gagnon
Ma chienne de vie, Jean-Guy Labrosse
Manifeste de l'infonie, Raoul Duguay
Marche du bonheur, La, Gilbert Normand
Meilleurs d'entre nous, Les, Henri Lamoureux
Mémoires d'un Esquimau, Maurice Métayer
Mon cheval pour un royaume, Jacques Poulin
N'Tsuk, Yves Thériault
Neige et le feu, La, (poche), Pierre Baillargeon

Obscénité et liberté, Jacques Hébert
Oslovik fait la bombe, Oslovik
Parlez-moi d'humour, Normand Hudon
Scandale est nécessaire, Le, Pierre Baillargeon
Trois jours en prison, Jacques Hébert
Voyage à Terre-Neuve, Comte de Gébineau

SPORTS

Baseball-Montréal, Bertrand B. Leblanc
Chasse au Québec, La, Serge Deyglun
Exercices physiques pour tous, Guy Bohémier
Grande forme, Brigitte Baer
Guide des sentiers de raquette, Guy Côté
Guide des rivières du Québec, F.W.C.C.
Hébertisme au Québec, L', Daniel A. Bellemare
Lecture de cartes et orientation en forêt, Serge Godin
Nutrition de l'athlète, La, Jean-Marc Brunet
Offensive rouge, L', G. Bonhomme, J. Caron, C. Pelchat
Pêche sportive au Québec, La, Serge Deyglun
Raquette, La, Gérard Lortie
Ski de randonnée — Cantons de l'Est, Guy Côté
Ski de randonnée — Lanaudière, Guy Côté
Ski de randonnée — Laurentides, Guy Côté
Ski de randonnée — Montréal, Guy Côté
Ski nordique de randonnée et ski de fond, Michael Brady
Technique canadienne de ski, Lorne Oakie O'Connor
Truite, la pêche à la mouche, Jeannot Ruel
La voile, un jeu d'enfant, Mario Brunet

Imprimé au Canada/Printed in Canada

01